経済は感情で動く

Economia Emotiva

Che Cosa Si Nasconde Dietro i Nostri Conti Quotidiani

はじめての行動経済学

マッテオ・モッテルリーニ＝著
泉 典子＝訳

紀伊國屋書店

Matteo Motterlini
Economia emotiva
Che cosa si nasconde dietro i nostri conti quotidiani

本書に寄せられた書評・紹介記事から

「本書は、発展の目覚ましい認知経済学と神経経済学への世間の関心をいっそう高めることだろう。本書が出たことは、とりわけ政界および経済界をリードする人々に喜ばれるにちがいない」

——ダニエル・カーネマン　二〇〇二年にノーベル経済学賞を受賞

「本書は、判断を迫られたときに私たちの脳がどんなふうにはたらくかを教えてくれる。この本を読むとこれまでより賢くなるかどうかは別にして、抜け目がなくなり、その上、リッチになることはまちがいない」

——エドアルド・ボンチネッリ　ミラノ生命健康大学の生物・遺伝学正教授

「ユーロはいつでも同じ価値を持つわけではない。お金を使うとき、私たちはしばしば錯覚に陥る。数学界を支配する合理的法則とは、似ても似つかないものに支配されてしまう。私たちはどんなふうにお金を使っているのか。ニューロンをもとにして解いてみよう」

——(「ラ・ガゼッタ・デル・メッゾジョルノ」紙)

「ショーウインドウの前での行動を決めるのは、感情がのさばる頭のなかの帳簿。買い物の選択を左右するのは、合理的判断どころか感情とセックスと胃……」

——(「イタリア・オッジ」紙)

「バーゲンセールの病理学。半額で三倍の買い物をする。いろんな駆け引きが、美食やセックスやコカインのように脳を刺激する。……二つあったら安いほうを選ぶ。三つになったら真ん中を選ぶ。いちばん高いものには目もくれない……バーゲンセールが終わったら、〈さあ、今度はアウトレットに行こう〉と考える。そうやって要らないものをどんどん買う。……やっていることは株式市場と変わらない。みんながやっているという理由だけで、売ったり買ったりする」

——(「ラ・スタンパ」紙)

イラストレーション　大坪紀久子
ブックデザイン　鈴木成一デザイン室

科学的方法が真に目的とするところは、
自然はあなたが知らないことを
知っていると思わせるようにはしなかったと、
確認させることである。

――ロバート・パーシグ

『禅とオートバイ修理技術――価値の探求』（邦訳 めるくまーる）

カロリーナ、マルコ、ピエトロに

目次

パート3 判断するのは感情か理性か 219

経済は感情で動く

はじめに

経済の問題になると、私たちは一杯食わされることが少なくない。漫画のチャーリー・ブラウンは赤毛の女の子に出会うとぽっとなって思考が停止してしまうが、私たちの頭も「熱くなってぽっとする」ことがたびたびある。お金を節約したり使ったり投資したりする段になると、私たちの頭は、経済学の本によくある数学的モデルのような、「効用最大化」の合理的な計算機ではなくなってしまう。それどころか、私たちがどこへ行くにもついてくる、両耳のあいだにはさまれた特別製のコンピュータは、プロセッサーがやけに鈍くて、記憶力は頼りにならず、欠陥を想像以上に内蔵している。それだけではない。私たちは日々の暮らしのなかで、喜び、不安、怒り、羨望、ねたみ、嫌気といったいろんな感情を体験するが、何かを決める段になるとそれらがしゃしゃり出てきて、計算とは大違いの結論を出せと迫る。

でも心配することはない。こうしたことを心得ていればいいのだ。心得るには、実際にためしてみるのがいちばんいい。そのテストならこの本のなかにたくさんある。本書に出てくる小さな実験や具体的なケース、テストや問題やパズルには、経済上の選択の際に日々体験する矛盾や失敗例が詰まっている。そうした実例と自分の場合を照らしあわせてみれば、私たち自身がどんな具合にできていて、どんな認知過程をたどり、脳がどんな働きをするかが理解できる。理解する目的はいうまでもなく、脳のよりよい使い方を身につけることだ。それが習得できれば、判断力が強化されるし、消費者としても抜け目がなくなるはずである。

私たちが犯すエラーのうちには、決して特別ではなくまさにそれこそが通常と言えるものもある。それらには規則みたいなものがあるから、一度正体がばれてしまえば、同じエラーを二度犯さないで済む。たとえば、月給とボーナスの使い方がどうして違うのか、という問題がある。第一部で見るように、私たちには、同じ金額に異なった貨幣価値を与える傾向、つまり「頭のなかで分類して計算する」癖があるのだ。そのお金がポケットにどのようにして入ったか、どのようにして出ていくのか、それによって貨幣価値が異なってくるわけである。

この種のエラーにはだれもが引っかかりやすい。目の錯覚のように、偽物が本物のように見えてしまうからだ。目の錯覚も認知上の錯覚も、ごく自然に無意識のうちに起こるから、私たちはそれをとおして即座に直感的に状況を判断してしまうが、そのために大まかになって的がはずれる。まったく同じことが提示されても、それをどのように解釈するか、あるいは提示にどんな工夫がされているかによって、正反対の選択をしてしまう。たとえば脂肪分五％のヨーグルトより無脂肪分九五％のヨーグルトがよかったり、ウール二〇％を混紡したカシミア・セーターよりカシミア八〇％のセーターを選んだりする。同じようにして、リスクを前にしたときも、それがもたらすであろう利益や損失に対して、目に見えて異なった反応をする。利益がもたらす喜びより、損失による痛手のほうがはるかにこたえるので、それを避けようとして、考えられないようなことをする。自虐的とも思えるほど危険な賭けに、いとも大胆に出たりしてしまうのだ。

私たちは日々迷いながら生きていて、そのなかで毎日何かを決めなければならないわけだが、金融業のプロであれ医者であれ、その決定が最良のものかどうかはわからない。第二部で見るように、私たちのリスクの捉え方は一様ではなく、データや確率やパーセンテージや統計などの読み方も、いろんなものに影響される。数字は冷たい客観的なものではなくて、感情によって色づけされるから、そこからは、驚くほど非合理な結果が飛びだしてしまう。さらに困ったことに、私たちは知りもしないことを知っているつもりでいるし、実際以上の力量や能力を持っていると信じている。要するにうぬぼれが強いのだ。しくじったときには運が悪かったことにして、うまく行けばすべて自分の力量のおかげだとする。見たいものだけ目に入り、よく見れば事実とは明らかに矛盾していても、自分の信念と偏見は捨てられない。

ものごとを決定するまでのプロセスについては、認知心理学、神経科学、実験経済学などの分野で、驚くほどの研究が重ねられてきた。それらの研究から明らかになったことは、いかなる決定も当事者が最大の利益を引きだせるかどうかにかかっている、という経済理論が的を射ていない、ということだけではない。いったいどういうわけで、どんな風にして非合理な決定をしてしまうのか、というメカニズムも明らかになった。この意味で、二〇〇二年にダニエル・カーネマン*という、本書でも業績が称讃されている一心理学者が、経済学の分野でノーベル賞を受賞したことは、まさに画期的な出来事だった。

　私たちの頭は過熱しやすいが、いくら愚かでも、愚かな行為にはそれなりの道筋がある。犯すエラーはだれもがくり返しやすく、しかも前もって知ることができるものだ。要するに、数学とは別のロジックで動いていて、数学ほどの規則性があるわけではないが、数多くの優れた実験によって、精神的（あるいはヒューリスティクス（4章でくわしく述べる）の）過程があることが明らかとなった。数々の優れた実験から一連の「経済学的エラー（あるいはホラー）」の正体が明らかになったが、それは一種の「無意識の認知」によって説明できる。私たちは無意識の認知というフィルターを通して状況に対する反応を決めているのだ。

　このことは、第三部で述べる、脳と神経生物学の分野における合理性についての一連の研究によって明らかになった。この分野ではふつう、脳の活動をモニターで表示する装置が使われる。研究によると、私たちは無意識の操作と調整可能な操作のあいだ、情緒と認知のあいだ、もっと平たく言えば感性と理性のあいだでたえず取引をしながら――関連する脳の部位のシナプスの動きにも左右されながら――さまざまな選択をしているらしい。

　けれども、いま挙げた二つのもの同士はいがみあうことが多く、そのために認識の罠にはまって、非合理な選択をしてしまうことが少なくない。そんなときにしゃしゃり出るのは困りものの性格のほうで、それが泣いたりわめいたりして、落ち着いて考えることをじゃましてしまう。ダイエットをしなければならないのに、パンにクリームをたっぷり塗ったりするときがそうだ。内臓からの要求に負けて、ひとときの快楽を味わうために将来の健康にはちょっとだけ目をつぶることにしてしまう。しかし私たちのなかに住むちっぽけな分身は、選択のじゃまばかりしているわけでもない。じつは適切な選択をするためには、するべきことを「知っている」以上に、身体がそれを「キャッチし」なければならないからだ。合理性という機械がうまく機能するには、それを応援する少しの感性という、特殊な助っ人がいるということだ。

私たちの頭が熟慮や深慮のような手順しか踏まないようにできていて、脳が前頭前野皮質だけで成りたっているのなら（この部位が爬虫類やその他の哺乳類と人間とを区別するところで、高等な認知活動の基地はここにある）、私たちがする選択について従来の経済学が説くこ

*訳注―カーネマン　一九三四年イスラエルのテルアビブ生まれ。現在、プリンストン大学心理学教授。一九七〇年代後半より八〇年代前半にかけて、経済学者エイモス・トヴェルスキー（一九三七―九六）とともに、多数の実験をもとに、現実の人間が不確実性のもとでは必ずしも合理的な意思決定をせず、伝統的な経済学の理論から「ある規則」によって外れることを実証、「期待効用理論」に替わる理論として「プロスペクト理論」を提唱した。「行動経済学」という新しい経済の分野が生まれる契機となり、株式市場における投資家の心理分析、行動ファイナンス理論の基礎を築いた。二〇〇二年に「心理学的研究を経済学に導入した」業績でノーベル賞を受賞する。

とは当を得ている。しかしもしそうなら、私たちは地球の住人ではなくて、まるでETみたいではないか。さもなければ、数学的能力は抜群でも感じることができない、耳のとがった火星人のようである。テレビドラマシリーズ『スター・トレック』に登場するスポック博士がまさにそうだ。でも幸いなことに、人生はテレビの平らな画面に収まりきれるようなものではないし、われらが「感情の経済学」は、これまでの経済学が説く内容よりはるかに豊かで、多彩で、生き生きとして、巧妙かつ風変わりで、想像力に富んでいておもしろい。神経回路の道は果てしないから、状況に応じてじつにいろいろなことを教えてくれる。つまらない内容などほとんどない。最後まで読めばそれがわかっていただけると思う。

ダニエンテにて、二〇〇六年九月四日

マッテオ・モッテルリーニ

パート1 日常のなかの非合理

1　頭はこう計算する

一〇〇〇円がいつも一〇〇〇円とはかぎらない

私たちはことお金に関しては、額の多少にかかわらず、念には念を入れて考える。それなのに、知らないうちに矛盾した判断をしていることが少なくない。

私たちの頭のなかの帳簿は見かけほど確実ではなくて、一つの取引にじつにさまざまな解釈を与える。なかにはユニークな解釈もあるが、とうていうなずけない解釈を与えることもしばしばである。

さっそくその一例を見てみよう。

問1

今日は土曜日で、大好きなオペラがある。

あなたはうきうきと劇場に出かける。入口に近づいたとき、二万円もしたチケットをなくしてしまったことに気がつく。

さてどうしますか？　チケットを買い直しますか？

（好きなだけ考えていいけれど、率直な返事をお願いしたい。オペラが嫌いだったら、スポーツ観戦でもかまわない。）

問2

問1と同じ設定で、いまあなたは劇場の入口にいる。けれども今度はチケットをなくしてしまったのではない。チケットはまだ買ってないのに、上着のポケットにあったはずの二万円が見あたらないのだ。

さてどうしますか？　チケットを買いますか？

この種の質問をされたとき、ほとんどの人が、最初の場合はチケットを買い直さないと言い、あとの場合はチケットを買うと言う。

しかし、厳密に経済的な観点だけから見れば、ジレンマはまったく同じものであるはずなのだ。どちらにしたって二万円損するわけだし、どちらの場合もオペラを見るか見ないか、どちらかなのだから。それならどうして正反対の答えが出るのだろうか。
次の質問にいこう。

問3

いまはクリスマスセールがたけなわ。あなたは前から目をつけていた携帯電話を買いに行く。行ってみたら値段は九〇〇〇円だった。代金を払おうとしていると、歩いて十分の「あっちの店では同じ製品を八〇〇〇円で売ってるよ」と友だちに耳打ちされる。

さてどうしますか？　安いほうの店に駆けつけますか？

問4

問3と設定は同じだが、今度はテレビが買いたくなったとする。ある店では一九万九〇〇〇円の値札がついていた。例の友だちが駆けつけて、歩いて十分の「あっちの店では同じ製品を一九万八〇〇〇円で売ってるよ」とささやく。

さてどうしますか？　安いほうの店に走りますか？

ほとんどの人が、はじめの質問には「イエス」と答え、あとの質問には「ノー」と答える。つまり、多くの人びとにとって、お金がいつでも同じ価値を持つとはかぎらないのだ。

場合によってお金の持つ価値が違う、というわけだが、いま挙げた例では、もとになる状況はどっちにしたって変わらない。どっちにしても、十分歩いただけで一〇〇〇円得をする。しかし携帯電話が一〇〇〇円安いのと、テレビ一台が一〇〇〇円安いのとでは、私たちにとっては大違いなのだ。しかし一〇〇〇円はいつだって一〇〇〇円のはずだ。それがどうして違ってしまうのだろう。いったいどんな仕掛けがあるのだろうか。

見たところでは、私たちはだれでも、お金をいろいろな部類に分け、その出所や、貯め方や、使い方を考えながら、どう扱うかを決めている。つまり私たちはみな、自分なりの「頭の計算」をしているわけだ。しかしそれをするときの数学は、学校で習った数学とは似ても似つかない。頭がする計算を見ていると、私たちが同じ額のお金に、状況によっていかに異なった価値を与え、いかに矛盾した選択をしているかがよくわかる。

ここで先ほどの例に戻ってみよう。まずオペラの例。はじめの（二万円のチケットをなくした）ケースでは、多くの人が、この損失を娯楽の部類（気晴らしのためのお金）に入れようとする。チケットをなくしたのだから、二枚目のチケットは支出の上乗せになる。しかもその支出は娯楽を目的にしている。そこで、娯楽のために「合計で四万円」も使っていいか、ということになる。ちょっとした娯楽にしてはばかにできない金額だ。そこで多くの人は、そんな大金を払うくらいなら劇場での楽しいひとときをあきらめようと考える。

しかしあとの場合はそうではない。この場合、「名目なしの」二万円の損失とチケット代は、頭がする計算では、少々異なる二つの部類に属する。そこで多くの人びとは、チケットを買うことにそれほど抵抗を感じない。オペラのために使うお金は、実際には二万円だけなのだと思えば、気持のほうも納得できる。それと同じ額を紛失してしまったと思うと、がっかりするし腹も立つけど、だからといって爆発するほどでもない。なにしろこの二つは別枠に入るのだから。

一方、携帯電話とテレビの例では、別の店へ行った場合に節約できると思われるお金の価値は、払うお金の総額に応じて変わる。九〇〇〇円のなかの一〇〇〇円のほうが一九万九〇〇〇円のなかの一〇〇〇円より価値があるというわけだ。

要するに、私たちの頭にあるお金は、きっちり決まった絶対的で抽象的なものではないのだ。私たちはお金には相対的な価値を付与し、経験や感情によって色づけをする。しばらく着なかった上着のポケットにふいに見つけたボーナスみたいなお金と、汗水流して稼いだお金が同じものだとはなかなか思えないし、したがって、同じように使うこともできない。教科書代、スポーツ観戦代、観劇のチケット代、スキー旅行の費用、宝くじや株を買うお金などを、すべて別枠で計算する。そして、貯金のうちのかなりの額を、高価なものを買うために使うときには、払う額のなかの末端の部分には目もくれなかったりする。

シカゴ大学の経済学者リチャード・セイラーが発見し研究し実験によって確かめた、消費行動などお金を勘定するときの心理学的現象は、「お金の価値は変わらない」という標準的な経済理論を支持する人びとにとっては、はた迷惑なものでしかない。彼らからすれば、宝くじで当たった一〇万円も、給与としてもらった一〇万円も、相続した一〇万円も、同じ価値を持つはずなのだ。

　私たちの頭が経済理論などお構いなしに考えるということは、いつでもどこでも見られる現象だが、これは困ったことでもある。頭が「お金は同じではない」と考えるなら、お金に相対的な価値を持たせることになる。これでは私たちは、お金を使うことが好きで、貯めることが嫌いだ、といわんばかりである。

選択肢が多いほど混乱する

　ある選択をしなければならなくなると、頭のなかのバランスをとるために、私たちはいつでも、都合のいい選択を正当化する理由を見つけようとする。そのうちに頭が、すでに述べたような非合理な思考をはじめる。頭の働きが、古くからあるアラビア系のシュク市場（訳注　イスラエル中央部のハデラ市にある。格安で野菜や果物を売っている）のようになってしまうのだ。そこではどんな値段もつくし、どんな取引にもそれなりの理屈がつけられる。私たちのほうに、さまざまな駆け引きから身を守るための、広い視野や確固とした選択基準がなければ、相手からすればじつに御しやすい。私たちの選択が妥当だと思う理由を探そうとしても、それには限界があり、だんだん頭がこんがらかってくる。シュク市場のような特殊な場所に置かれると、私たちは相手の策略に引っかかるまいと躍起になる。買い物の金額が大きかったりすれば、しまいには些末な金額などどうでもよくなってしまう。そのあとスーパーマーケットへ立ち寄ったときには、一円でも節約したくて、特売品だけに目を向けるのに、である。

　このような頭の働きから生じる支離滅裂な選択は、注目され研究もされてきたが、その過程で、日常的とも言えそうなある種のエラーが明らかになった。なかでも目につくのは、従来の経済理論と「合理的思考モデル」に対する違反である。「合理的思考」そのものの正当性を問題にすることは、これまで意識的に避けられてきた。なぜなら、先ほど述べたように「お金の価値は変わらない」、すなわち「合理的思考」には反しない、と考えられていたからである。

　いったいどういうことなのかを理解するために、たとえばサッカーファンの熱狂的な応援を考えてみよう。もしＡＣミランを応援していたら、対戦相手がどんなチームだろうが、選べるチームが無数にあろうが、そんなことはどうでもいい。ＡＣミラン以外のチームのために心臓の鼓動が高まることなどぜったいにないのだ。

　さもないとファンとしての忠誠心を裏切ってしまうが、それだけではない。「合理性」も破ってしまうのだ。「合理的思考」によれば、一連の決まった選択肢に、いずれにしても私たちが選ばない選択肢をさらに加えても、すでにある選択肢のあいだでの選択の順序は変わらない。たとえば私たちがミランサポーターだとすれば、インテルとＡＣミランだったらＡＣミランを選び、そこにユベントスが加わって、インテル、ＡＣミラン、ユベントスになっても、変わらずＡＣミランを応援するということだ。ファンとして、「合理性」を十分に尊重するわけである。

別の例を見よう。たとえば古くからの学校の友人であるマリオと夕食をとることにしたとする。席に就いてメニューを眺めたら、その日の日替わりメニューはラザーニャかスパゲッティであることがわかった。マリオはラザーニャを選んだ。ボーイがやってきて、日替わりメニューのなかにはリゾットもあると教えてくれる。「ああそれなら」とマリオが言う、「ぼくはスパゲッティにしよう」。

マリオの選択が奇妙に思えるのは、「合理性」は正しいと、私たちの頭が言うからなのだ。「合理的思考」には、言ってみれば本来的な力があるから、直感的にうなずける。でもうなずけるからと言って、どんな場合にも当てはまるわけではない。次の例が示すように、経済を考えるとき、おろそかにできないケースも少なくない。

問5（二者択一）

あなたはＭＰ３プレーヤーを買おうとしている。ある店の前を通ると、人気のあるソニーのプレーヤーがバーゲンで一万六〇〇〇円の安値になっていることがわかった。それなら定価よりかなり安い。
さてどうしますか?
A　ソニーを買う。
B　ほかのモデルについても知ろうとする。

問6

問5と状況は変わらない。しかし今度は例のソニーのモデルのほかに、もうひとつのモデルも安売りされている。それはサムスンで、品質も上々なのが二万六〇〇〇円で買える。これもけっこう安くなっている。

さてどうしますか?
A　ソニーを買う。
B　ほかのモデルについても知ろうとする。
C　サムスンを買う。

アメリカのプリンストン大学とスタンフォード大学の学生を対象にした著名な実験によると、問5のケースでは、三分の二の学生がソニーを買うと言った。ところが問6のケースでは、ソニーを買うと言ったのは四分の一の学生に留まり、二分の一が判断を先延ばしにし、残りの学生はサムスンを買うことにした。つまりうまいチャンスが一つではなく二つになると、うまいチャンスを利用する可能性は減少するわけだ。

さらに実験を重ねた結果、選択肢の数が増えるにつれて、判断を先延ばしにする傾向が強まることがわかった。判断するときの葛藤が深まると、しまいに判断力が衰えるということだ。判断を助ける理由をあれこれ探しているとき、選択肢が一つしかなければ（バーゲン品が一つしかないはじめのケースのように）、結論は楽に出る。しかし、いろんな選択に「都合のいい理由」の数が多くなればなるほど、一つを選ぶことがむずかしくなる。問6のケースでは、高いけれどどれも格安にはちがいないほかのモデルが入ったために、頭のなかで問いや答えが入り乱れ、安価なMP3を選ぶ可能性はますます遠のいてしまったのだ。

こうなると頭のなかは自問と品定めの渦である。「サムスンとソニーじゃ、迷うなあ。それともほかにもっといいモデルがあるのかなあ。高いものでも、そっちもバーゲンだったら安く手に入るだろうし…」とか「サムスンはいくらバーゲンだっておれにはやっぱり手が届かないよ、クソッ！」とか「このソニーってこんなに安いの？　もう古いんじゃない？　一年もしないでポンコツになっちゃうかもな」とか「いまはどこだってバーゲンセールをやってるんだから、サムスンほどは高くなくて、ソニーよりはましなモデルを、安く買えるチャンスはまだあるかもな」とか。

要するに、計算や推論をいつまでもやっていると、ますます泥沼にはまってしまうのだ。そして、サムスンは高すぎるからはじめから考慮に入れなかった人も、ソニーを買う気までなくしてしまう。

迷いを振り払うために適切な理由を見つけようと、人々がいかに頭をしぼるかは驚くほどだ。また一方で、――こうしたことを知り尽くしていて、それをうまく利用しているマーケティングのプロはべつにして――こうした自問自答が消費者の立場をいかに弱いものにしているかにも驚かされる。同じことは、選挙の場合にも起こる。選挙運動ほど、選挙人がおちいる罠が明らかになるチャンスはめったにない。

プラス面に注意を向けるか、マイナス面に目を光らすか

ある男がピザを買いに行った。「いくつに切りましょうか」、と店の主人に訊かれると、男は答えた。「四つに切ってくれ。八切れ食うほど、お腹は空いていないからね」

この会話は奇妙だろうか。しかし、どれもおいしい選択肢のなかから一つを選ぶように迫られたとき、私たちの多くが葛藤のあと出す結論がまさにこれなのだ。これを説明するにも、例を挙げればわかりやすい。

問7

市長を決める選挙がある。候補者は二人。これまでに入った情報によると、A氏はまあまあの人物で、B氏のほうはやり手だが欠点のほうも並みではない人物のようだ。

A氏は地元の実業家で、大学時代にはボランティア活動に励みながら、法学部を卒業した。町の小学校に通う娘が二人いて、妻は専業主婦である。

B氏は以前に国会の副議長を務めたことがあった。地域に小児科病院を建設しようと、資金集めの運動をした。アメリカのさる有名大学で経営学修士の学位を取っている。過去の一時期、汚職事件にかかわった。現在はある有名なポルノスターと婚約中。

あなたはどっちの候補者に投票したくないですか？

もちろん気まぐれな投票などしたくないから、どっちかに決めるときには、都合のいい理由を見つけようとする。この種のことを研究してきたプリンストン大学の認知心理学者エルダー・シェイファーによれば、こういう質問に答えるとき、人はとりわけ否定的な面に注目するそうだ。肯定的な面にくらべて、否定的な面が選択を大きく左右する。この選挙の例では、A氏に投票しないと答えた人は、わずか八％しかいなかった。一方、B氏には投票しないと答えた人は九二％に上った。

今度は質問を肯定の形に変えてみよう。

問8 あなたはどっちの候補者に投票したいですか?

この場合も、人は選ぶ理由を考えるが、今度は肯定的な面に目が向きやすく、結果を左右するのは、否定的な面より肯定的な面のほうになる。この質問には、七九%がA氏を選ぶと答え、二一%がB氏を選ぶと言った。B氏が選ばれる可能性は、質問が否定形でなく肯定形であるときのほうが、二倍以上に増えたのである(八%に対して二一%)。

さて結果をよく眺めてみよう。「選ぶ」と「選ばない」(「投票する」と「投票しない」)は同じメダルの両面のように、おたがいに補足的であるはずだから、両方のパーセンテージを合わせた数値は一〇〇になるはずである。けれども実験の結果はそうはならない。B氏に投票したい人の割合と投票したくない人の割合(二一%と九二%)を合計すると、一一三%にもなってしまうのだ! しかし従来の経済学によれば、人びとの選択は彼らの好みと評価の確固とした現われである、ということになる。

それはともかく、市長の選挙とピザの注文を同じにはできない。政治的選択を迫られる市民にとっては、ジレンマを解くに足る「妥当な」理由を見つけることのほうが、数値の問題より大事なのだ。なにしろ私たちは、どちらもいい面と悪い面を持った二人の候補者のなかから、一人を選ばなければならないのだから。この種の問題では、質問がどのように示されたかで、結果に大きな差が出てくる。まさに正反対の選択をする場合だって少なくないのだ。

ここから二つの問題が生じる。一方は政党側（政治の場以外でも、一般にジレンマを生じさせる側）の問題、もう一方は市民側（選挙の場合だけにかぎらない）の問題である。シェイファーは、異なった価値のあいだに生じるジレンマに解決の糸口を与えるための、ある方策を示している。いま挙げた選挙のような場合には、A氏の立場では選挙運動の焦点をライバルのマイナス面に当て、有権者の意識をマイナス面に向けるといい、と彼は言う。一方のB氏の立場では、自分のプラス面に焦点を当てて選挙運動をするといい、と言う。そうしてはじめて勝算の可能性が出てくる。有権者にとっては、一方の選択に傾いてしまわないうちに、二人の候補者の戦略を十分見きわめることが大事になる。

ところで、「本心と偽りのない評価」は、有権者が投票したいほうに出るのだろうか、それとも投票したくないほうに出るのだろうか？　これはどちらか一方に出るわけではない。有権者には、どっちにも投票したい気持はある程度あって、どうしても一方にというわけではないからだ。いずれにしても選挙のときには、どちらか一方に決める前に、選ぶ理由と選ばない理由を照らしあわせてよく吟味する必要がある。

教訓

❶「お金の価値は一定」は幻想である。同じ一万円でも、人は状況と文脈によって違ったように考える。ギャンブルや宝くじで得たお金と、汗水流して稼いだお金は同じではない。前者は「あぶく銭」のように手元から早々に消えてしまう。お金を使う用途によっても、たとえば日々の生活費となると一円まで細かくケチるのに、娯楽や遊びのお金となるとパッと使おうとする。

❷ 選択肢が一つなら迷わない。二つになり、三つになり、さらに選択肢が増えるほど迷いは深くなり、はじめは買おうと思ったものも買わずに手ぶらで帰ってきたりする。

❸ 選択で目がいきやすいのは「肯定面より否定面」。政治家の選挙で、汚職やスキャンダルを嫌うのはそのため。選択の際には一歩下がり、「プラス面、マイナス面、いま見ているのはどっち?」と自分に問いかけてみよう。

2　矛盾した結論を出す

客の気持を惑わす

私たちが心を決めるときの葛藤を拡大鏡で見てみよう。迷いや行動は、すでに示されている選択肢にどんな選択肢が加わるかによって異なってくることはすでに見てきた。しかし追加の影響はどんな風に現れるのだろうか。

問9―問11（各問いで、あなたの選択肢はどっち？）

例を一つ挙げてみよう。

わが家の下の通りにある文房具屋のおやじは嫌みなほど腰が低いが、それでも飽きずに通ってくる顧客のために、気合いを入れて新たなサービスをはじめることにした。その店で使った金額が五〇〇〇円になるたびに、ささやかな商品をプレゼントするか、あるいは五〇〇円を返すという。

さて、買い物金額が五〇〇〇円を超えたから、サービスを受けることにしよう。ところで、条件が三つある。どの場合でも、なかのひとつを選ばなければならない。

1 五〇〇円をもらうか、メタルのスマートなボールペンをもらう。

2 文具屋のおやじは気をよくして選択肢を一つ増やす。そこであなたは、五〇〇円か、メタルのスマートなボールペンか、同じくメタルのスマートなボールペンだが外観がいくらか違うものか、どれかを選ぶ。

3 メタルのペンは数が限られているから、選択の幅を広げて、文具屋のおやじはあなたに次のような提案をする。五〇〇円を選ぶか、メタルのスマートなボールペンにするか、あるいはプラスティック製のありふれたボールペンにするか。

さて、ここで、これらの三つの条件の違いを考えてみよう。

最初のケース（問9）の選択肢は、A（お金）とB（メタルのボールペン）の二つ。これだけでは、あなたがどちらを選ぶかは任意で、この際、関係ない。次の問いへの回答との差が重要なのである。

二番目のケース（問10）では三つ目の選択肢Cが加わるが、CはBによく似ている（どっちのボールペンも好感度は変わらないとする）。こういう場合にはAが選ばれる比率が高くなる。

二本のボールペンは優劣がつけがたいから、それより五〇〇円のほうに気が向くわけだ。

ところが三番目のケース（問11）では、Cがほかの二つの選択肢のなかの一方より明らかに劣っている（プラスティック製のボールペンはメタル製のボールペンより見るからに劣っている）。こういう場合は、価値が急に高まったもの、すなわちBが選ばれやすい。プラスティック製のボールペンの出現でメタルのボールペンがにわかに輝きを増し、お金よりさらに価値あるものに見えるからだ。

すでに示されている二つの選択肢のなかの、一方にきわめてよく似た選択肢が追加されると、一種の「妨害効果」が生じて、それらとはまったく異なる選択肢（二番目のケースでは五〇〇円）が選ばれる比率が高まる。一方で、新たに加わった選択肢がほかの二つのうちの一方よりはるかに劣っている場合（ここではプラスティック製のボールペン）には、追加された選択肢が「餌《えさ》」になって、メタルのボールペンの魅力がぐっと上がり、それが選ばれる確率がきわめて高まるというわけだ。

この誘引効果と妨害効果については、エルダー・シェイファーと彼のプリンストン大学のグループが調査をしている。類似の選択肢（いまの例では二本目のメタルのボールペン）を加えた場合、ボールペンではなくお金を選ぶ人の割合が二八％も高まった。明らかに質の劣る選択肢（プラスティック製のボールペン）を加えた場合は、反対に、お金を選ぶ人の割合が一〇％下がり、メタルのボールペンの人気がにわかに高まった。

この現象はどう説明したらいいのだろうか。どれにしようか迷っている状況で、加わった選択肢が魅力的だというだけでは、それを選ぶ十分な根拠にはならない。それがほかの二つの選択肢より優れていると「納得できる理由」がなければならないのだ。いまの例では、メタルのボールペンBによく似たメタルのボールペンCが加わると、選択はむずかしくなる。BとCのどちらにするかの決め手になる理由が見つけにくいからだ。そこで結局は五〇〇円を選んでしまう。ところが「プラスティック製のボールペン」のほうはむしろ、選択の助けになる。メタルのボールペンを選ぶはっきりした理由になるからだ。

この例でもわかるように、サービスの範囲が拡がると、選択のための順序の組み替えを余儀なくされる。利益やサービスを提供するほうは、これをうまく利用できるわけだ。

三つあると真ん中を選ぶ

誘引効果と妨害効果のメカニズムは、いわゆる「合理的思考モデル」に反している。迷ったときの選択にあたって、この「合理性」に反する現象がもうひとつある。「端っこ嫌い」として有名な現象だ。それは、プラスにせよマイナスにせよ飛びぬけた性格を持つ選択肢を加えると、「中間」の性格を持つ選択肢が選ばれる確率が高まる、というものだ。

ここに、この問題の説明になる、実際におこなわれた実験をひとつ挙げてみよう。

実験1
あるグループの人びとに、デジタルカメラを買ってもらいたい。モデルは二つある。はじめのモデルは三万八〇〇〇円で、二番目のモデルは七万六〇〇〇円。どちらもブランドは同じである。
扱い方はすべてきちんと説明されていて、価格はどちらのモデルも妥当だ。

結果として、このグループの人びとが二つのモデルを選んだ割合には差がなくて、どちらも五〇％だった。

実験2
別のグループには、同じ二つのモデルのほかに、一二万八〇〇〇円のモデルが同時に示された。

ここでひとつ注意してほしい。最高額のモデルを選んだ人が何人いたにせよ、それ以外の人たちの選択ははじめの二つのモデルに公平に分布するはずだ。そうですよね？　でもそううまくはいかない。

品質も価格も上級クラスの三番目のモデルが現れると、大方の人が真ん中のモデルを選んだ。いちばん安いモデルは、先ほどは五〇%の人びとが選んだのに、今度は五人に一人に減ってしまった。

選択肢がふえると真ん中を選びたくなるのは、それがいちばんだと思わせるちょうどいい理由を見つけた気がするからなのだ。それがたちまちほかのものよりずっと便利で得がたい商品に見えてくる。しかしさっきはどうしてそれに気がつかなかったのだろう。私たちがしたかったのは納得できる妥協で、選択に意味を持たせ迷いを払う、まさにその妥協だったのに。

この現象を、レストランではワインのメニューをつくる際に利用している。ワインのリストに驚くほど高価な特級品を加えると、お客は安いワインより中の上くらいのレベルの品を選びたくなり、レストランにとっては都合がいいのだ。

より多くの選択肢を提示することが（売り手だけでなく）万人のためになるようにするには、「合理性」に反して非合理な選択をさせ、選択の手順を狂わせてしまう、一連のエラーのタイプをよくよく心得ておく必要がある。

日々を暮らすなかで選択の自由がないのは耐えがたいことだ。けれども、たとえば「練り歯磨き」をどれにしようかなどという陳腐なことでも、選択肢が無数にある（漂白剤入り、強壮剤入り、回復力を強めるもの、環境に優しいもの、二色のタイプ、粒子がごく小さいもの、経済的なもの、高価だがおまけがついたもの…)。そのなかで自由に選ぶことになったら、どうしようかと焦ってしまう。何かを決める段になるたびに葛藤がはじまるわけで、その戦場では、必要性、好み、利便性などがせめぎあい、しまいには「選択肢が多ければ多いほど収穫は少ない」という矛盾した状況が生まれる。ジーンズを一本買うつもりで店に入ったのに、二〇着もためしたあげく何も買わないで店を出る、という具合だ。こうなると考えてしまう。選択の可能性が無限にあると、それだけ気持ちがのびのびするどころか、なんとか気に入ったものを見つけるために、よけいにくよくよ悩まなくてはならないのかと。こうなったら買い物も楽しいどころではないし、いったんこれと決めても、あとまで悔いが残りやすい。これにしたけどあっちのほうがよかったのでは?という思いがいつまでもつきまとうからだ。

選ぶときに葛藤が生まれるのは、練り歯磨きやジーンズの場合だけ、というわけではもちろんない。好みが奇妙なトリックをしかけるケースは無数にある。

何が迷いを生じさせるか

実験3

あなたはいま学生で、たいへんな試験がやっと終わったところだとしよう。

1　合格していたら、ジャマイカ旅行のチケットを買うだろうか？
2　落第していたら、ジャマイカ旅行のチケットは買うだろうか？

この二つのグループにこういった類いの実験をしてみたら、チケットを買うと答えた人の割合は、どちらの場合もほとんど変わらなかった。つまり、合格しようが落第しようが旅行には行くというわけだ。要するに、「試験の結果はジャマイカ旅行には影響しない」ということなのだ。

ここまではじつに明快だ。

実験4
けれども学生のグループをもう一つ加えて、彼らはまだ合格したか落第したかを知らないとしよう。ジャマイカ旅行のチケットを購入するかどうか、の質問をする。

驚いたことに、彼らの多くが、「割増料金を払ってでも、チケットを買うかどうかの選択を、試験の結果が出るまで先延ばしにしてもらいたい」と言ったのだ。いったいどうして？　こんな場合、いったい何が決心を妨げているのだろうか。

最初の二つのグループと違うところはひとつだけ、「試験の結果がわからない」ということだ。しかし結果がわかっても、すでに見たように、旅行には影響しないはずなのだ。でも結果がまだわからないから、旅行に行くための「もっともな」理由がないというわけだ。落第していたら試験を受け直さなければならないから先に休暇を取っておくとか、合格していたらご褒美として行ってもいいはずだとか。そのような、自分を正当化するはっきりした根拠がないから、不安（旅行なんか行っちゃって、あとで落第したことがわかったらどうする？）が尾を引いて、なかなか決心がつかない。要するに、内的葛藤を避けるためにジャマイカ旅行はやめてもいいと思っても、そういう葛藤さえなければ、とっくに行くかどうかを、決めているはずなのだ！

内的葛藤というやっかいなものが入りこむから起こるこのような矛盾した状況は、頭のなかで快楽とか遊びとかに分類される事柄の、お金にかかわる場面で生じるだけではない。健康にかかわる深刻な選択の場合にも現れる。

医師や外科医や患者が、こんな場合どんな行動をするかを見きわめるために行なわれた実験は、おおよそ次のようなものだった（断っておくが、専門家たちに提示されたケースは非常に詳細で、きわめて現実的な例だった）。

実験5―7

グループ1　病院は入手のむずかしい健康な臓器を提供するドナーを一人見つける。移植手術は一回しかできない。そこで医者は二人の患者のうちから一人を選ばなければならない。Aは老年期の男性で、養育するべき子どもはなく、移植手術への禁忌事項もない。Bはかなり若い既婚女性で、幼い子どもが三人あり、この種の移植手術には、致命的ではないがおろそかにもできない禁忌事項yを持っている。

グループ2　ここでも病院は、入手のむずかしい健康な器官を提供するドナーを一人見つける。医者はA（グループ1にいた老人）とCという二人の患者のうちから一人を選ばなければならない。Cも若い既婚女性で、幼い子どもが二人いるが、この種の移植手術には、致命的ではないが軽視もできない禁忌事項z（yとは別の禁忌事項）を持っている。

グループ3　状況は前の二例と同じ。しかし今回はA、B、Cの三人の患者のなかから選ぶ。

Aさんを選んだ医者や外科医は、ほかのグループにくらべてグループ3できわだって多かった（最初の二グループでは一五%だったのに対して、グループ3では二五%に達した）。ここでもまた、三番目の選択肢がほかの二つの選択肢の魅力をそいだりせずに、はじめの選択肢の魅力を強めているのだ！

この気楽ではないが、きわめて具体的なケースから学ぶべきことは二つある。何よりもまず注目すべきは、ここでもまた、意識するしないにかかわらず、葛藤を余儀なくされる選択は敬遠されるということだ。BさんとCさんのうちどちらかを選ぶのは簡単ではない。だからいちばん問題のなさそうな選択（Aさん）をしたい。次に、自分も他人（この場合は患者とその家族、病院の幹部、それからおそらく保険会社や職場の仲間など）も納得できる人を選びたい。グループ3では、患者BとCのあいだで納得できる選択をすることはむずかしい（グループ1とグループ2の外科医にはこの問題は提示されない）から、禁忌のない患者Aが選ばれる可能性が目に見えて高くなる。

二〇〇五年に経済学でノーベル賞を（訳注　国際紛争と協調の分析へのゲーム理論の適用の貢献で）受賞したトーマス・シェリングはこの種の研究の第一人者だが、彼が言うには、もう何年か前、家族みんなで使える百科事典を買うことにした。ニューヨークのハーヴァードスクエアにある品揃え抜群の本屋へ出かけ、二種類の百科事典を詳細に検討した。両方とも優秀なものだったが、発想がかなり異なっていた。どちらも彼の要求に十分応えてくれそうだった。しかし両者のなかから一方を選ぶのは容易なことではなかった。考えあぐねた末に、どちらも買わずに店を出た。それどころか、何年も経った後でも、まだどちらも買っていないと言っていた。

教訓

❶ 寿司屋のランチメニューで「特上・上・中」とあれば、「上」の注文が多い。一般に三つの選択肢では、真ん中が最も多く売れる。このことから導かれる帰結として、たとえば類似商品で四〇〇〇円と五〇〇〇円のものがあり、儲けるために五〇〇〇円のほうを「売りたい」と思えば、六〇〇〇円の選択肢を付け加えればよい。

❷ 迷いと葛藤は、「選択を遅らせる」か、「選択しない」という結果をもたらす。ともかく、人は「選ぶ理由」を欲している。

3　錯覚、罠、呪い

優先順位がひっくり返る

私たちは思いがけない選択をすることが多いから、選択はいつでも興味深い。たとえば次のケースはどうだろうか。

問12（二者択一）

あなたは次の二つのどちらかを選ぶようにと言われた。

A　賞金は低いがもらえる確率は高い（七〇〇〇円が八〇％）。

B　賞金は比較的高いがもらえる確率は低い（七万円が一〇％）。

あなたはどちらを選びますか？

同様の実験では、多くの人（六七％）がAを選んでいる。

問13
さて、今度は先のAとBに金額をつけてみるとしよう。
お金に換算した場合、どちらのほうを高く見積もりますか？

この質問には、多くの人（七一％）が、Bのほうを高く見積もった。

「**選好の逆転**」（太字はキーワードとして解説した）として有名なこの現象は、オレゴン州立決定研究所のポール・スロヴィッチとサラ・リヒテンシュタインが、実際のお金と人を使ってラスヴェガスのカジノでおこなった一連の実験によって明らかになった。この二人のアメリカ人認知心理学者の観察でとりわけ興味深いのは、賭けにつけた売買価格は賞金額に高い相関関係がある一方で、どちらにするかの選択は、勝算の確率に高い相関関係が認められたということだ。

この結果はその後、二人の経済学者（チャールズ・プロットとデイヴィッド・グリーサー）の興味を引いた。二人は経済学の分野に踏み入った心理学者の仕事にケチをつけるつもりで、同じ実験をしてみた。しかし彼らのもくろみは失敗した。彼らは実験（同様の実験はほかにも多くの人がした）で、奇妙な矛盾を否定できなかったばかりでなく、そういう現象が深く根を張っていることを確認する結果になった。かくしてまたもや従来の経済学の核の一つにひびが入った。それまでの経済学では、私たちの選択にははっきりした「選好の順位づけ」(「選好順位」という)があって、それは以前から固定している、このことは選択を観察すれば容易にうなずける、とされていたのだ。

さて先ほどの賭けに戻るとして、選択肢Bの賞金額が選択肢Aのそれより高いとしても、だからといってつねにBのほうが好まれる、ということにはならない。選好の表現の仕方(たとえば「確率」対「貨幣の価値」)によって、選好の順位も違ってくるのだ。私たちの選好順位は前もって決まっているから容易に把握できる、ということではなくて、

選好の逆転

preference reversal 標準的な経済学では、人の嗜好や好みは一定で変化しないととらえるが、「行動経済学」では状況や文脈で変化するものとみなす。昼飯に「焼き魚定食」を好んで注文する人も、「今日のランチメニュー」を見て別のもの(「生姜焼き定食」など)を注文することはよくあることだし、イタリアンレストランで「刺身」を頼む人はまずいない。飲み屋でいつも「ビール」を真っ先にオーダーする人が、雪が降った日に「日本酒の熱燗を一杯」と頼んでからビールにもどるというのもよくあることである。

行動ファイナンス理論では、「目先の利益に目がくらみ、将来の大きな利益に目がいかない」ことを「選好の時間的な逆転」といい、「時間的非整合性」という。将来の自分の健康にとってタバコはやめたほうがよいとは思うが、目先のタバコの一服がやめられない、という現象も同じ理屈で解釈される。

順位は選択の過程のなかで決まり、状況によって左右される、と考えるほうがよさそうだ。

次に、日常のありふれた例と、エルダー・シェイファーが引きだした結論を見てみよう。ここではオプションをいくつか足すかどうかの判断が迫られる。オプション一つ一つは大した金額でなくても、いくつも重ねて最後の金額を出してみると、目がまわりそうになってしまう。

さて例に移ろう。あなたの車はもうポンコツ寸前で、小さな不具合があちこちにあり、まもなく動かなくなりそうだ。そこで新車を買うことにする。ベースとなるモデルの価格は三七〇万円。空調設備をつければ快適だが、それには一六万円よけいにかかるとディーラーは言う。まあそれくらいならいいだろう。エンジンをもっと強力な奴に替えればもうバッチリで、これにはあと一六万円。ナビゲーターも破格にして八万円。五年間の保証をつけるなら八万円のプラス（一年にたったの一万六〇〇〇円）だ。合計で四一八万円なり。

「いやありがとう、また考えることにして、まだしばらく乗ってみるよ」

どこにでもありそうなこのケースは、選好順位は前もって決まっているという理論を根底から覆す。その理論からすれば、BよりもAを選び、CよりもBを選ぶなら、CよりAを選ぶのが妥当なのだ。

この例では、Cは古い車、Bはもとの価格の新車、Aはオプションをつけた場合、となる。理論から実際の場面に移ったとたんに、私たちの非合理性が頭をもたげ、CよりBを、BよりAを選んでいるのに、AよりCを選んでしまうのである。

非合理は高くつく

「でも少しぐらい非合理だっていいじゃないか、だれだってみなそうなんだから！」という声が聞こえてきそうだ。しかし非合理はとびぬけて高くつくのだ。まさにお金の無料配達人みたいになってしまう。そのからくりを説明しよう。

有名なサッカーチームのオーナーであるＬ氏の場合。彼が名うてのマネージャーであるＭ氏に会う。映画と同じで、ここでも出来事や人物への言及は仮のこととみなしてほしい。

Ｌ氏の好みは一風変わっている。イタリア出身の無口なディフェンダーであるネストよりは、南米出身の若くて有能なミッドフィルダーであるリバルドのほうが好きで、オランダ出身の腕のいいセンターフォワードのヴァン・ボンネンよりはネストのほうが好きで、リバルドよりはヴァン・ボンネンのほうが好きだと言う。

非常にねばり強い交渉の結果、Ｍ氏は、数百万ドルでネストをＬ氏に渡すことになった。取引が成立してから数週間も経たないうちに、Ｍ氏はＬ氏のもとへ走り、数百万を上乗せすればリバルドを譲ってもいいと言った。要するに、ネストからリバルドに乗り換えるなら、Ｌ氏は数百万余計に払うわけだ。Ｌ氏は「ＯＫ」と言い、ネストをリバルドに替えて、数百万を上乗せした。取引が終わって数週間が過ぎたころ、Ｍ氏はふたたびＬ氏を訪ね、あと数百万余計に払えばヴァン・ボンネンを譲ってもいいと持ちかけた。ここでＬ氏がまたイエスと言えば、また数百万の上乗せになる。L氏は「イエス」と言い、リバルドをヴァン・ボンネンに入れ替えて、また数百万を追加した。取引が終わって数週間もしないうちにM氏はL氏を再訪し、あと数百万を払ってくれればネストを譲ると言った。ここでL氏がネストを選べば、また数百万の上乗せになるわけだ！　L氏は「イエス」と言い、ヴァン・ボンネンをネストに入れ替えて、数百万を追加した。取引終了のわずか数週間後、M氏は……とどこまで行ってもきりがない。

この極端な堂々めぐりで、L氏はお金のポンプになりはてているが、同じ運命が、自分の選好で選ぼうとする人すべてを待ちかまえている。あなたもBよりAを、CよりBを、AよりCを選ぶなら、その選択は非合理で、その非合理は安くはない。

しかし私たちの日々の非合理は、油断のならない現れ方をすることもある。次はその例を見てみよう。

自分のものになると値が上がる

あなたはお酒が好きだとしよう。数年前にたまたまブルネッロ・ディ・モンタルチーノを数ケース買ったが、それはそのまま酒蔵に収まっている。しかしそのあいだにこのワインの値段がどんどん上がった。買ったときは一本二〇ドルもしなかったのに、いまでは二〇〇ドルを超えている。ある夜、仲良しが集まったときに、そのうちの一本を開けることにした。あなたにはそのワインを時価で売るつもりはまったくないし、新たにその値段で一本買い入れるつもりもない。

あなたが仮にこの人で、このように考えるとしよう。すると、すでに持っているワインには、いま買ったら買える金額以上の価値があると考えていることになる。一方で、いま出ているワインはまだ買っていない。そうだとしたら、あなたの選択は正しい経済学的計算を守っているとは言えなくて、頭のなかで、ほかの道筋を通って計算していることになる。このような心理的現象には、「**保有効果**」という名がついている。

保有効果

endowment effect　自分が所有するものに高い価値を感じ、手放したくないと感じる現象のこと。カーネマンらは、この現象が起こる原因の一つは「損失回避」にあると考えた。あるものを得ることに伴う効用より、いま持っているものを失うことによる痛みのほうが大きいと感じられる。したがって、ある品物を別の品物と交換しようという提案を受けても、なかなか交換をしたがらない。標準的な経済学では、「手放す代償として受け取りを望む最小の金額」(受け取り意思額)と、それを「入手するために払ってよいと考える最大の金額」(支払い意思額)は大差がない、と考える。しかし、現実の人間は、そうは考えないようだ。

こんな場合、あなたが経済上適切な計算をしていないのは明らかだ。現在の市場価格で手持ちのワインを売ろうとしないなら、それらが実際にはもっと高価だと考えているわけだ。それだけでなく、これから何年かのあいだにさらに上がると考えているのかもしれない。でも、それならなぜ、現在の市場価格のワインを買っておこうとしないのだろう。

味にうるさい仲間と絶品のワインを堪能することは、このうえない快楽であることはたしかである。しかしもっと買っておいたら、あるいは手持ちのワインを抜け目なく売ったら、さらに多くのボトルをみんなで楽しむことができるではないか！　それなのにどうして酒蔵に収めたままにしておくの？

ここでもまた、実験が答えを用意してくれている。

実験8―9

コーネル大学経済学部のあるクラスの学生たちを、無作為に二つのグループに分けた。一方のグループにはカップがプレゼントとして与えられた。アメリカによくあるタイプのカップで、大学のロゴが入っている。二つのグループのあいだで競売をやることにした。目的は次のことを知ることだ。

A　つい先ほどカップを手に入れたグループは、お金をいくらもらったらそれを手放す気になるか。

B　カップを持っていないグループのほうは、手に入れるのに何ドルなら払ってもいいか。

ここでの結果がどう出るかは、だいたい見当がつく。じつはカップの所有者は平均して五・二五ドル以下では売ろうとしない。カップを持たないほうは二・七五ドル以上では買おうとしない。

二つのグループは無作為に分けられたのに、どうしてこんな結果が出るのだろうか。何か（大したものでなくても）の所有者になったというだけで、そのものの価値が、それを持たない人が考える価値のおよそ二倍にも、たちまち跳ねあがるということなのだ。ボトル一本を二〇〇ドルでは売らなかった（あるいは買わなかった）理由がこれでわかる。

この現象は、東洋の絨毯売りや自動車のディーラーのあいだではよく知られている。絨毯売りはこの効果をうまく利用し、「試しに」といってお客に商品をしばらく預けておく。買い手になるはずの人は絨毯を家に持って帰ってしまうと、「保有効果」のためにもうその絨毯を手放したくなくなる。

車のディーラーのほうは、新車を買おうとする人の多くが、新車の値引きへの関心より、「それまで乗っていた（現在所有している）車を高い値段で引き取らせる」ことに躍起になることに目をつける。売り手は客のそんな油断につけ込んで、客にうまい取引をしたと、まんまと思わせるのだ。

現状は維持したい

「保有効果」には、お金にかかわる選択をするときの保守的傾向が透けて見える。新しいものに手を出すより、すでにしている投資をくり返したいのだ。私たちはすでに持っているものに過剰な価値を与えようとするから、それとは違ったものに手を出すのはむずかしいし、その気にもなりにくいというわけだ。

次の例を見てみよう。

ケース1

あなたは家族から相続分を受けとった。そのうちの七五%は利益が確実で動かない債権で、残りの二五%はリスクも高いが利益の確率もばかにならない株である。ファイナンシャル・プランナーは二つの道を提案した。すべてをそのまま持っているか、さもなかったら割合を逆にするか（リスクの高い株に七五%、債権に二五%）。

さてあなただったらどうしますか?

ケース２
ケース１と筋書きは同じだが、一つだけ違うところがある。最初の割合が逆である（リスクの高い株が七五％、債権が二五％）。あなたはこのままの状態を選んでもいいし、割合を逆にしてもいい。
どちらにしますか？

ここでも、大多数の人が、最初の状態には手をつけない。

もし納得がいかないなら、あるいは、財産相続なんてめったにあることじゃないとか、株にも債権にも縁がないとか、そういう理由で他人事に見えるなら、もう一つ例を挙げてみよう。日ごろよくある、携帯電話の選び方の問題である。

無作為に分けた人びとからなる二つのグループのそれぞれに、次のような質問をした。

実験10―11
グループ１「あなたはいま、安価だが基本的機能はついている携帯電話を使っている。値段は高いが、機能が豊富な携帯電話に買い替えますか？」

グループ2「あなたはいま、値段はかなり高いが豊富な機能のついた携帯電話を使っている。値段は安いけれど、基本的機能はついている携帯電話に買い替えたいですか?」

どちらのグループでも、多くの人が現状を維持するほうを選んでいる。何か不安定要因（たとえばついている機能の質が落ちたとか）が入りこんできたりしなければ、いまのままがいいというわけだ（「現状維持バイアス」という）。

アメリカ合衆国の隣りあった二つの州（ペンシルヴァニアとニュージャージー）では、自動車関連会社ＲＣオートの損害補償の規約が逆だった。片方では、契約の切り替え要求を出さないかぎり、保険料はそれほど高くないが、被保険者が自分の責任で事故を起こさなくても、何年も同じ料金のまま据え置かれる。もう一方の州では、切り替え要求を出さないかぎり、無事故による年次の割戻金があり、はじめは保険料が高くても、被保険者が自分の責任で事故を起こさなければ、だんだん割安になる。どちらの州でも大多数の人たちが、切り替え要求は出さないで、提示された原則を受け入れるほうを選んでいる。

こういうことがわかると、イタリアで電話機市場の規制が緩和されたとき、人びとがどんな反応をしたかが想像できる。固定機や携帯機を扱うさまざまな電話会社が、消費者の現状維持好みを打破するために、あの手この手を使った理由もわかるだろう。「電話料をただにする」、「携帯電話のおまけをつける」、「鳴り物入りのキャンペーンを繰り広げる」、などの手段で、受けとれるはずのいろいろなサービスに見向きもせず、検討しようともしない人びとに、再考を促そうと必死になったのだ。

私たちの生来の保守的傾向を打ち破るために、売り手はふつう、お金を大幅に節約できると思わせる。「実際よりはるかに得に見えるような手」が使われることも少なくない。もしあなたが現状を考え直す気になったとしたら、だから、「新品を買う前によく検討して、新たな契約の内容を注意深く読みとる」ことが大切である。

私たちの注意を喚起し、怠け心を揺さぶるために使われる手段は、神経をとんがらせる経済的側面にかかわるものだけではない。「性能がいい」、「効率がいい」、「丈夫だ」、ということのほかに、今日では——遺伝子組み換え品でないかわりに値段の高い食品がよく売れていることからもわかるように——「環境を守る」とか、「人や動物の権利を大事にする」といったことが、ますます重要になってきている。こういうことの重要性が多くの人に自覚されるようになったのはここ数年のことで、そのために、これまでの習慣も再考を促されている。いままでとくに気にせずに決めてきたことを見直して、違った目で選択をする必要が出てきたのだ。

電力供給も自由化されると、たとえば、エコロジーについての知識をもとにして、新たなタイプの供給者も考慮に入れる必要が出てくる。きれいなエネルギーを受けとるためには、長年契約してきた供給者との関係を見直して、新たな供給者のほうに移るという事態も生じるかもしれない。

払ったからには参加しなきゃ損

私たちが現状維持を好む傾向は著しいが、これが有害になることもある。たとえば、すでに多くを投資してしまっているという理由だけで、不利な投資をさらに続けるような場合だ。

問14

あなたがある有名なスポーツ用品メーカーの経営を任されたとする。その会社は「インテリジェントな」走りを約束する革新的な靴の開発に、すでに一〇億円を投資している。その靴は、地面の状態や利用者の性格に応じて、必要な調整を自動的にしてくれる。このプロジェクトが八〇％達成された段階で、同じ規模のほかの会社が同じ特徴を備えた靴をすでに販売していることがわかった。その靴はプロジェクトを進めている靴より機能的だし値段も安い。さて質問。あなたはプロジェクト達成に必要な残りの二〇％を投資しますか？

こう質問された人の八五％が「イエス」と答えている。その製品がライバル会社の製品と競争できるわけでもなく、新たな投資がさらなるお金の無駄遣いになっても、それでも途中まで進めたプロジェクトはあきらめないで、必要な金額を投資するというわけである。

しかし、すでに投資した額はゼロとして、同じ質問をされた場合、つまり、ライバル会社の製品には明らかに劣る製品をつくるために二億円を使いますか、と訊かれた場合は、「イエス」と答える人の割合は激減する。この場合は、コストと将来の利益を念頭に置いて、的確な判断ができるのだ。

それならはじめの場合はいったいどうして、すでに投資していることに制約されてしまうのだろうか。いうまでもなく、失敗することを考えないからなのだ。このような現象はいたるところで見ることができる（「**コンコルドの誤謬**」あるいは「**サンクコスト（効果）の過大視**」とよぶ）。

コンコルドの誤謬
mistake of Concorde 過去の投資が将来の投資を左右すること。実業家たるもの、「コンコルド機にはずいぶん投資したのだからそれをスクラップに回すことはできない」とはいうべきではない。すでに多額の投資をしたとしても、投資を中止してその計画を放棄するのが将来の利益につながるなら、そうすべきなのである。英仏が共同開発した超音速旅客機コンコルドは、開発の中途で、たとえ完成してもいくつかの理由で採算がとれないことが予測された。が、それまでに投資した開発費が巨額だったために突っ走り、完成はしたが、結局、赤字はさらに膨らんだ事象から、この呼び名がつけられた。

サンクコスト（効果）の過大視
overestimate of sunk costs 埋没費用の過大視。「コンコルドの誤謬」と同じ意味で、「先行投資額が巨大だと、損失回避の傾向から、人は未来の予測をしばしば誤る」。

問15（二者択一）

たとえばスキー旅行の予約をした。あなたはばかにならない金額をすでに払いこんでいる。しかし当日は寒くて風も強く、雪が降っていた。家を一歩も出たくないのに、もうお金は払ってしまっている。

さてどうしますか？

1 スキーに行きますか。

2 それとも温かい家で過ごしますか。

問16（二者択一）

問15と状況はほぼ同じだが、一つだけ違いがあって、スキー旅行の予約はプレゼントだったとする。

さてどうしますか？

1 スキーに行きますか。

2 それとも温かい家で過ごしますか。

奇妙なことに、問16の場合、多くの人が家で温かくしているほうを選ぶ。

問15では、多くの人が、外出のためにかかる費用までしぶしぶ払って寒さのなかを出かけ、まる一日をむだにしてしまう。

いうまでもなく、この二つのケースで、あなたはこれとは違う行動をとるかもしれない。しかしこの例のような行動に出るとしたら、それは、心理的トリック、「使ってしまったお金というトリック」のせいなのだ。使ったお金に目をつぶることはできなくて、捨ててしまったとは思いたくない。そこでいざ決心する段になると、すでにした投資のほうに気をとられ、肝心なことを忘れてしまう。選択の結果、どれだけコストがかかり、将来の利益はどうなるのかを、考えられなくなるのである。

この落とし穴を抜けだすための小さな秘策はこうだ。

あなたが温かい家にいて、外はきびしい寒さなら、「ここで温まっていられるなら、いくら払っても惜しくない」と考えるのだ。そうすると自然にスキー旅行のために払ったお金が頭に浮かぶ（とにかくもう払っているのだから）。けれどその損失が惜しくはなくなる。払ったお金をくよくよ悩むくらいなら、それを利益に換算してみるほうがいい。少なくともお金をすでに払ってしまったのなら。

競りに勝っても喜べない——「勝者の呪い」

サッカー市場の季節が幕を開けた。ビッグ・クラブのオーナーたちは、今年の目玉である、南米出身の有力選手ロナルドを競いあう。オークションのはじまりだ。

ロナルドはあらゆる競り手にとって同じ価値を持っている（つまり共通の価値観に基づくオークションである）としよう。そしてそれぞれのオーナーは、もっとも信頼できるオブザーバー、いわゆるエキスパートから、選手の評価を受けるとする。エキスパートたちの判断は、原則としてまちがいではない（評価の平均はロナルドの実質的価値に等しい）とする。センターフォワードの資質（ヘッディング、ドリブル、シュート力、イマジネーション、ゴール前での冷静さ）を評価することは容易ではないから、エキスパートの評価は実質的には同じではないと思わなければならない。「高い」、「低い」のばらつきがいくらかはあるわけだ。

いうまでもなく、エキスパートが最も高い評価をつけたオーナーが競り落とす、と考えるのが妥当だ。もしそうなら、競り落としたオーナーは損をしてしまう。そこでいわゆる「勝者の呪い」が出てくるわけだが、この現象は近年の実験経済学によって広範囲に実証されている。

オーナーの役目が困難であることはよく知られている。なにしろ逆の方向に引っぱる二つの因子を調節しなければならないのだ。競り落とすには積極的に出なければならない。一方で、気合いが入ればそれだけ選手の価値を過大評価する危険が増すわけだから、そう考えるとほどほどにしておきたくなる。完璧に合理的にやるには、ちょうどいい評価を出して、最適のオファーをしなければならない。でも私たちはつねにどこまでも合理的であるわけではないし、それどころかそんなことはめったにないのだ。この種の競りのメカニズムを忠実に再現しながら実験をすると、「勝者の呪い」という現象がいかにありふれたもので、それから身を守ることなど容易ではないことがよくわかる。かなりのエキスパートで、実験が進むあいだもうまく学習できるように工夫されていても、自分の勝利に歯ぎしりすることが少なくない。

架空のサッカー市場や研究のための実験はともかく、深刻なのは、現実世界の巨万のお金がかかった競りで、競争者たちが実際この種のエラーを犯してしまうということなのだ。

一連の調査によれば、「勝者の呪い」という現象は、たとえば石油やガスの採掘許可の市場にも広範囲に蔓延しているらしい（サッカーチームの社長が大規模な石油会社も持っていれば、呪いの危険ははかりしれない）。近年では、いわゆる第三世代（３Ｇ）携帯電話のライセンス獲得競争にも、「勝者の呪い」が根を張りはじめているという。*

アメリカ合衆国、イギリス、その他の国々では、ライセンスの競売がそれぞれの政府に多額

＊訳注―二〇〇〇年に、欧州の各国で第三世代（３Ｇ）携帯電話用の電波周波数がオークションで売りに出された。各社が買いに殺到し、何十億ドルも支払った。この巨額のコストを回収することを考えると、はたして周波数の獲得にそれだけの価値があったのだろうか、という議論が巻き起こった。

の利益をもたらし（したがって納税者には節約をさせ）てきた。しかし勝者となった会社には、短い歳月では利益に転換できないほどの負債を背負わせてしまったようだ。この場合、呪いが聞こえるということは、いっそう気がかりなことである。なぜってこの3G携帯電話のライセンス獲得競争は、呪いを帳消しにするというまさにその目的で、優れたエコノミストがそろって計画したことなのだから。ライセンスの真の価値が市場でも明らかになるのは数年先になるだろうから、それまで政府は、危機にある携帯電話会社からの税金面での控除や優遇の要請に、目をつぶっていなければならないのだ。

数値の暗示に引っかかる――「アンカリング効果」

今度はまったく種類の違う問題だが、こっちも教訓的であることは変わらない。たとえば政治的な選択をするとき、お金を投資するとき、あるいは子どもの扁桃腺を除去するべきかどうか考えるときなどに、とても参考になる。

ニューヨークで小児科医をしているA先生は、まだ扁桃腺を除去していない十一歳の子ども四〇〇人の診察をして、そのなかの何人が手術を受けるべきか指示しなければならなくなった。A先生は診察をした子どもの四五％に手術を勧めた。

同じ町のB先生は、A先生が手術すべきだとは判断しなかった子どもたちを診察した。B先生はそのなかの四六％の子どもたちに手術を勧めた。しまいにC先生が、B先生が手術の必要なしと見た子どもたちを診察したが、そのなかの四四％に手術を勧めた。

これは笑い話ではない。アメリカ小児保健協会の調査で明らかになった驚くべき結果である。いったいどんな奇妙な理由があって、ニューヨークの小児科医たちは、切除する必要もない子どもたちに、扁桃腺をとらせようとしたのだろうか。この場合考えられるのは、彼らは**「アンカリング効果」**に引っかかったということだ。

アンカリング効果

anchoring effect 船が錨（アンカー）を降ろすと、錨と船を結ぶともづなの範囲しか動けないことからくる比喩。最初に印象に残った数字や物が、その後の判断に影響を及ぼすことをいう。日常の買い物から、ビジネスでのさまざまな局面、株の売買、コミュニケーションに至るまで、非常に広い範囲で起きる現象である。たとえば、1万円の値札が赤線で消され7000円に直してあれば「安い！」と感じる衝動買い、ある株の売りのタイミングで頼りにする指標としての「最も高かったときの株価」である。「アンカリング効果」は、4章に出てくる「ヒューリスティクスによるバイアス」の第三の要因として、トヴェルスキーとカーネマンが重視している。

いったいどういうことなのかを理解するために、この現象がはじめて観察されたときのことを考えてみよう。

あなたの前にルーレットのような回転板がある。それぞれの仕切りには数が書いてあり、回転板をまわすと、針がどこかの数の上で止まる。今回はたまたま「65」という数の上で止まった。ストップ。ここであなたに質問。「アフリカ諸国のなかで、国連に加盟している国は六五％以上あるかないか」。「正確な数は覚えてないがそんなにはない」、とあなたは答える。「よろしい。それではアフリカ諸国のなかで、国連に加盟している国は何％あるだろうか？」「およそ四五％くらいだろう」、とあなたは考える。

さて次の人の番になる。今度は針が「10」のところで止まった。はじめの質問（「アフリカ諸国のなかで国連に入っている国の割合は一〇％以上か以下か」）に、その人は「一〇％以上」と答える。次の質問（「アフリカ諸国のなかで国連に加盟している国は何％あるか」）には、ちょっと考えてから、「二五％くらい」と答えた。

まさにこの調子なのだ。実験によれば、ランダムに選ばれて正確な解答を知らない人たちが、針が「65」のところで止まったときには「およそ四五％」という返事をし、「10」のところで止まったときには「二五％くらい」という返事をしている。偶然の数字が、質問された問題にはなんの関係もないのに、参照点（アンカー）の役目を果たし、そのあとはもう、いくら「調節」したって、つねにその辺をうろちょろしてしまうというわけだ。

小児科医の先生たちもそうだったのだ！　彼らもまた、十一歳の子どものおよそ五〇％は扁桃腺除去の必要があるだろう、という予測のもとにアンカーを降ろした。診察のあと、そこを基準にしたどちらかの方向に評価が落ち着いた。アンカーを降ろす場所を調節しようとしても、うまくはいかなかった。Ｂ先生やＣ先生の場合も同じだった。

お金の問題にしても、政治の場での選択にしても、自分だったらそんなばかなことはしない、と考えるとしたら間違いだ。次の例を見てほしい。

問17

今回、ドットコムが一株二〇〇〇円で株式に上場される。市場で張りあいそうなライバル会社が、同じ株価でちょうど一年前に上場していた。現在その会社の株価は一万円になっている。

質問。「ドットコムの株価は一年後にはいくらになっているか」答えて下さい。

いうまでもないが、ライバル会社の株価はこの質問の答えを左右するものではない。それなのに、その株価がアンカーの役目を果たすことは十分考えられる。実際多くの人びとが、ドットコムの一年後の株価について、ライバル会社の株価が一〇〇〇円であるか一万円であるかによって、異なった判断をしているのだ。

アウトレットストア（きず物や売れ残り品を割引価格で売る特売店）の成功もこの「アンカリング効果」によって説明できるだろう。多くの店がセール中でなくても年中安売りをしているように見えるのは、この「アンカリング効果」のためなのだ。お客は年中お買得商品を買っているような気分におちいってしまう。その理由はただひとつである。価格表に書かれた値札がアンカーになり、売値はいつもその値段と比較されてしまうからなのだ。あなただったら、四四八〇円の靴と、五〇〇〇円なのに割引価格が四四八〇円になっている靴とでは、どちらを選びますか？

さらに抜け目のない罠もある。ほとんどのジャケットが二万四〇〇〇円くらいで売られている店で一万二八〇〇円のジャケットを見つけたら、買わなきゃ損だと思うだろう。

一方、ほとんどのジャケットが八〇〇〇円くらいの店で一万二八〇〇円の品を見つけたら、高すぎると感じるだろう。

「アンカリング効果」がいかに浸透しているかを示す例ならまだまだある。たとえば選挙の前に候補者が二〇〇万人の雇用を約束したとする。そんなことは信じられないし、そんな楽観論など「うそっぱち」だと思う。しかしアンカーはすでに降ろされたのだ。調節してみたって不具合は十分には直せない。

ここでの教訓。自分でアンカー（錨）を降ろす前に、あるいはだれかに降ろされる前に、よくよく注意することだ。アンカーが降りたところから遠ざかることは、容易なことではないのだから。

教訓

❶ 通販での試供品の提供の意味。「使ってダメなら一週間以内で返品してください。お値段は無料です」――めったに返品されないことを通販業者は知っている（まだ買ってもいないのに「保有効果」がはたらく）。宗教の勧誘も似たようなテクニック。「無料の雑誌」を自宅へ持ってくる、無料の集まりにいっしょにいこうと誘う。「自分のもの」になっただけで、人は手放すときには二倍以上の「値段・価値」をつける（お金、物に限らない）。

❷ 株式投資先の保守性。地元の企業、知人がその会社に勤めている、前に投資して儲かったことがあるなど、「理由がある」。いま持っている株をなかなか手放そうとせず、同じ株に次つぎと資金を投入する。新しい株へなかなか目がいかない。これも「保有効果」。

❸ 自分の失敗を認めたがらない「コンコルドの誤謬」は、経営者としては最悪のパターン。間違ったと気づいたときに撤退する勇気がない人が、経理をごまかしたり、別なところへ無理な投資をして損を重ねる。

❹ 会議で最初の発言者の意見にひっぱられ、話がグルグル回ってなかなか決まらない、ユニークな発想が出てこない。ある人の意見を聞いたとたんに、自分も同じことを考えていた気分におちいる。これも「アンカリング効果」。

4 「先入観」という魔物

私たちの頭は当てにならない

経済の分野に限らないこの奇妙な「エラーの（あるいはホラーの）ギャラリー」に足を踏み入れたいま、ちょっと歩みを止めて、私たちはどうしてエラーを犯してしまうのかを考えてみよう。しかしまず、エラーについて考えるとは、正確にはどういうことなのだろうか。

経済活動をする人はだれでも（消費者やビジネスマン、事業家、投資家など）、コストと利益をよくよく考えながら、さまざまな選択肢のなかからどれかを選ばなければならない。その選択のほとんどは、ある事柄の確率と評価をもとにして、「不確実性」とリスク*のもとでなさ

*訳注―アメリカの経済学者フランク・ナイトは、確率によって予測できる「危険」（リスク）と、生起確率が計算できない「不確実性」とを明確に区別した。後者は「ナイトの不確実性」と呼ばれる。

れている。

日々の生活、それもとくに経済面では、「不確実性」が大手を振っている（株式市場は変動するし、企業家はさまざまなリスクにさらされながら自己資金を新たな製品に投入する）。だから、私たちの選択とはどんなものかを理解するには、確率をもとにした判断方法をまず理解する必要がある。

イスラエル出身の二人の天才的な認知心理学者、ダニエル・カーネマンとエイモス・トヴェルスキー（彼はカーネマンの生涯の友人で共同研究者だったが、数年早く他界したためにノーベル賞を逃した）は、従来の経済学が唱える確率の法則を逸脱した（よく見られるから予測が可能な）判断を多くの人たちがしていることに注目した。合理的で几帳面な「私」の隣で、大ざっぱに機械的にすばやく決めたい「私」が出しゃばるから、前者は後者につねに注意しているほうがいい。

私たちの頭は実際、正しい選択に役立つ情報のすべてを分析することなどできないし、確率の法則に従った計算をうまくやれるほど賢くもない。そのためにしばしば「思考の近道」に頼ろうとする。つまり、すばやく単純に直感的に判断しようとするのだが、こっちのほうが楽だしやりやすいことはまちがいない。しかし困ったことに、こうした判断がつねに的確だとは言いかねるのだ。

しかしまたおもしろいことに、どんな迷路にまぎれこんでしまうかは、予測がつくのだ。私たちが陥りやすい認識の罠があらかじめわかれば、判断や選択を最適な（つまり合理的な）ものから遠ざけないでいられる。カーネマンたちはこの種の「思考のトンネル」を多くの実験や事実によってたしかめ、それに「**ヒューリスティクス**」（とそのバイアス）という名をつけた。これは頭のなかの――意識的および無意識的――働きのある種の面をさす言葉だが、私たちはこれを通して、選択や決定をしたり（あるいは目で見たものを分析したり）する、認知（あるいは感得）作業をおこなっている。

これはどういうことなのか、私たちにどんな影響を及ぼすのかを理解するために、いくつかの例を見てみよう。

ヒューリスティクス

heuristics　人が意思決定をしたり、判断を下すときには、厳密な論理で一歩一歩答えに迫るアルゴリズムとは別に、直感で素早く解に到達する方法がある。これをヒューリスティクスと言う。日本語では簡便法、方略、目の子算、発見法、近道などと言われる。短時間で苦労なく満足がいく結果が得られるという利点がある一方で、ときには思わぬ間違いを犯すこともある。トヴェルスキーとカーネマンは、確かな手がかりのない不確実性状況下で、人はヒューリスティクスをとりがちだが、そのために、ときに非合理的な判断と意思決定をすることを実証した。このことを「ヒューリスティクスによるバイアス（偏り）」が生じるという。彼らは、人が合理的な判断をすることを否定したのではない。「完全合理性」の人間像を仮定した標準的な経済学の誤りを指摘したのである。判断の偏りは非合理的だが、一定の傾向をもっており、「予測可能」で、それが経済に大きな影響をもたらすなら、それを取り込んだ理論構築へ向かうべきだ、と考えたのである。

ある人の職業が何か、たとえば「図書館員」であるか「商店主」であるかを判断するように求められたとする。ランダムに選ばれたその人は「めがねをかけ、気が弱く小心で、歴史本が大好きである」。多くの人が簡単すぎると思いながら図書館員だと答える。

しかしその判断は大方のところ間違っている。この世界には図書館員より商店主のほうがはるかに多い。だからこの人は図書館員ではなくて商店主である確率のほうが高いわけだ。このように、「典型性」（**代表性**）をもとにして判断すると、実際にはそうでないものがそうであるように見えてくる例は無数にある。

二つの事象が結びついたときのほうが、二つのうちの片方しかないときより確率が高くなる、と考えると、これと同じタイプのミスを犯す。この考え方は、確率計算の結合の法則に明らかに矛盾しているのだ。

どういうことか、例を見ながら考えてみよう。

問18

リンダは三十一歳。シングルで純真でとても頭がいい。哲学科を卒業したが、学生のころから人権や社会正義の問題に熱心に取り組み、戦争反対のデモにも参加していた。

次の各項目を可能性の低いものから並べてください。

A　リンダはグローバル化反対の活動家である。

B　リンダは銀行員である。

C　リンダは銀行員でグローバル化反対の活動家である。

大多数の人（通常は八〇％）が、B（銀行員）よりA（グローバル化反対者）の可能性が高いと判断する。しかしCはその中間に入るとする。C（AとB）はただのBより確率が高いというわけだ。「連言錯誤」という罠にはまった結果である。

「連言錯誤」は確率計算にはなはだしく矛盾した、初歩的な論理の間違いである。二つの特性

代表性

representativeness「ヒューリスティクスによるバイアス」の第一の要因が「代表性」。「代表性」とは、典型的と思われるもの（「典型性」ともいう）を、判断の基準、答えとして転用すること。典型的と思われるものは、ステレオタイプ（固定観念）とも呼ばれる。「代表性ヒューリスティクス」には、次に述べるいくつもの種類がある。「妥当性の錯覚」「ランダムな事象に規則性を見つけようとする錯誤」「標本の大きさの無視」（「小数の法則」の錯誤）「平均値への回帰の誤った理解」「事前確率の無視」などである。

（銀行員とグローバル化反対者）が結合したもののなかには、両者の一方（銀行員）は当然含まれているのだ。言いかえれば、銀行員とグローバル化反対者は、銀行員一般のなかに、必然的に含まれているわけだ。

こんな罠に落ちたのはアメリカのどこかの大学の新入生（トヴェルスキーとカーネマンが初期の実験をした学生たち）だけだと思ったら間違いだ。自分の専門分野で同じたぐいの問題を提示された医者一〇〇人のうち、じつに九〇％が同様の誤りを犯している。

どうして私たちはこの種のエラーを犯してしまうのだろうか。理由はすでに述べたように、だれもが、意識するしないにかかわらず、「ヒューリスティクス」を使ってしまうからなのだ。これは簡単に無意識に認知できる方法で、複雑な問題もときには「手軽に」完璧に解いてしまうが、はずれる可能性もそれだけ大きい。

図書館員の例のような場合、私たちは「代表性」を、つまり典型的なモデル（と仮定するもの）を頼りにして誤った結論を出してしまう。リンダは実際、グローバル化反対の活動家としては申し分なく、グローバル化反対の銀行員としてもうなずけるが、銀行員の例としてはちょっとはずれている。しかし「ヒューリスティクス」を用いて「典型性」で確率を考えようとすると、エラーを犯すことになる。

確率の判断でもう一つ決まって犯しやすいエラーは、メディア攻勢によるものだ。ある出来事が起こる確率の判断は、それが頭に入りやすいか否かに左右される（「**利用可能性**」という）。たとえば、その出来事がメディアで大々的に報道されたとしよう。私たちには、目立つ出来事や身近な出来事の確率をとくべつ高く見積もる癖がある。たとえば夏休みにカリブ海の島々かどこかへ向かったチャーター機が二機墜落すると、糖尿病で死ぬより航空機事故で死ぬ確率のほうが高いと思ってしまう（実際は糖尿病の死亡率のほうがはるかに高い）。これはおそらく、航空機事故のほうが新聞記事になりやすく、頭に浮かびやすいからなのだ。

鳥インフルエンザが毎日紙面や画面をにぎわしていたころは、その危険性の度合いや日々の行動に、大いに神経をとがらせていた。ほんとうは、食卓に鶏肉をのせるときより、ミラノ＝ヴェネツィア間で車を運転するときのほうが、よっぽど神経を使うべきなのに。

利用可能性

availability「ヒューリスティクスによるバイアス」の第二の要因が「利用可能性」。思い浮かびやすさ。ある事象が起きる確率や頻度を考える際に、最近の事例やかつての顕著な事例と特徴を思い出すことで、評価すること。テレビやマスコミに取り上げられることで、重大事件と思ってしまう、実際の確率より高く評価し、すぐに自分にも降りかかってくることだと思ってしまう。社会的な情報の伝達の際に、何が強調されるかによって（たとえば、強烈な印象を与える映像や写真があることによって）違ったように伝わる。「地震が来る」といわれれば、地震グッズが売れる。鳥インフルエンザが危ないといわれれば、鶏肉を食べなくなる。「連言錯誤」は「利用可能性によるバイアス」の一例ともいえる。

判断の際にだれもが犯すエラーには、いわゆる「**小数の法則**」や「**平均値への回帰**」の過小評価や、「ギャンブラーの誤謬」などがある。例を挙げて順に手短かに説明してみよう。

「小数の法則」というのは、あることがくり返し起こってはじめて、次はこうなるだろうと推測できるはずなのに、数回起こっただけで次はこうなるだろうと推測してしまうことをさす(この場合、くり返し起こる事象は、きわめて似通ったことである場合に限る)。

スクラッチカードを一〇枚買って、そのうちの二枚が当たっていたって、あらゆるカードのなかの二〇％が「当たり」だと思ったら間違いだ。こんなに少ない例では、統計などとることはできない。次は気象の変化の話。地球の平均気温が年々上昇する傾向にあることが報告されても、だからといって翌年がその年より暑いと考えることはできない。気象のような複雑でダイナミックで変動のはげしいシステムのなかでの、実際の動きを探るには、個々の一年など無意味なほどの年月のデータを集める必要がある。

私たちは、秩序のないところに秩序を見つけるという、特殊な能力を持ちあわせているようだ。たんなる偶然の出来事にすぎないものに、ありもしない意味を付与してしまう。偶然は奇妙な作用をすることがあるが、私たちの頭もその点では変わらない。

たとえばコインを二〇回放り投げたら、表と裏が出る回数は正しく配分されている、と考える。だから二〇回のうち一五回も表が出たら、何かしらトリックがあるのでは、と勘ぐってしまう。しかし、こんなに少ない一連の数に「大数の法則」をあてはめて、長い連続のなかに見られる五〇%という完璧な確率を考えることなど、所詮無理な話なのだ。

しかし私たちは、偶然の法則は「小さな数」にもあてはまるだろうと考える。過小のものから過大な推論をしてしまうのだ。たとえば株の素人は（いやプロだって）、株価の動向は実際以上に予測できると思いがちだ。まったく偶然に推移したものが私たちにはそうは見えなくて、あるモデルに従って推移していると解釈してしまう。そのモデルに特別な意味や自分で見越した価値を付与してしまうのだ。そんな意味が巣くっているのは、手もとのデータのなかではなく、私たちの頭のなかだけなのに。私たちは、統計的サンプルが少なくて判断が不可能な場合でも、とにかく一般化しようとする。

小数の法則

law of small number 試行回数が少ないにもかかわらず「大数の法則」が当てはまると錯誤する、「平均値に回帰する」とみなすこと。また、少数からなる標本であっても、その「代表性」のために母集団の性質を現わすとみなすこと。たとえば、コインで四回連続表がでたので、次は裏がでると思う。３割バッターが３打数ノーヒットだと、次はヒットを打つ可能性が高いと思う。この２つの事例は「小数の法則」による「ギャンブラーの誤謬」ともみなせる。

平均値への回帰

phenomenon of regression to the mean 統計学の用語で、長い目で見れば平均値にもどることをいう。中間テストで好成績であっても、期末テストで悪くなった。プロ野球で「２年目のジンクス」という言い方があり、一年目の成績が、２年目になって落ちこんだ。実は両方とも実力はこんなもので、「平均値にもどった」のかもしれない。その点、イチローは４月、５月は２割そこそこでも、最後は３割を越え、毎年２００本安打を達成している。そんなイチローでも４打数で安打が０という日もあるのである。

これをたしかめたかったら、たとえばどこかの病院の産婦人科病棟へ行ってみるといい。(見ただけでも)驚くほどの数の男の子や女の子が生まれているのを目にすると、たとえば満月とかの不思議な力でまことしやかに「解釈」したくなる。そのときはたまたま多かっただけだ、とは考えにくいからだ。偶然の出来事の連続にもそれなりの性格があり、統計的分析が可能だということは、「**後知恵**」が教えてくれることなのだ。

「平均値への回帰」に考えが及ばないということも、偶然の現象を誤って解釈しやすい理由のひとつだ。あるチームがたとえば六対〇で勝ったあとの試合で悪い成績を出すことが多くて、四対〇で負けたあとにいい成績が出ることが多いとする。これはただたんに、どっちの場合もはじめの試合で出た結果が極端で、ふつうではないということなのだろう。コーチの叱責や処罰的退場の効果だろうと考えられることがあっても、実際はこのありふれた統計上の現象に過ぎないことが多い。二つの変数の関係がおかしいときには、一方の極端な数値が、もう一方の極端ではない数値に結びつけて考えられやすい。

たとえば親と子どもの身長がそうだ。ここには明らかな関係がある。しかし完全な相関関係ではない。統計上の回帰の現象からして十分うなずけることだが、非常に背の高い(たとえば一八〇センチを超える)両親の子どもは平均して非常に背が高い。しかし親ほど高くはなくて、むしろ低いことが多い(一七〇センチとか)。これは統計上の真実で、容易にうなずけるが、私たちはそこに「回帰」できないことが多く、異常値をすっかり頭からはずすことができない。だから、いつになくいい成績をあげたチームは次の試合でもすばらしい成績をあげるだろうと期待するし、背の高い親の子どもは少なくとも親の身長ほどにはなるだろうと考える。あるいはまた、ある株価が思いがけなく上昇すると、そのまま上向いていくだろうと予想する。

私たちは「平均値への回帰」の法則が正しく適用できなくて、あてにならない直感に頼ってしまう。だから予測が予想屋のそれのようになり、平均値から逸脱してしまう。このようにして実際にはないことをみんなそろって考えるようになったとしても、不思議ではない。たんなる偶然でしかないことに多大な意味を付与するという癖が、いつまでも抜けないのだ。

後知恵
hindsight 何か事が起こってから、後でその原因に言及すること。事前には予測すらできなかった事象が、事後には必然であったかのように判断する心理的バイアスのひとつ。「自動車事故を起こしてしまった。もっと慎重に運転していればよかった」。一見、「正しい」原因のようにも読めるが、その真偽を深く追求することもなく、そこで「思考停止」してしまう。自分や他人の行為に対しても、スポーツの結果に対しても、普通によく展開される推論。

「スポーツ・イラストレーテッド」の表紙の呪いもまさにこのケースである。知らない人のために説明してみよう。この有名な雑誌の表紙を飾った人物やチームは、翌年には、災害、成績の低下、止めようのない衰退その他の不運に見舞われる、というジンクスがある。ここに載る選手の数はハンパでなく、ジャーナリストのなかには、呪いは雑誌が出てからきっちり二週間後に現実になると言ってのける人までいる。心理的物理的根拠はずらずら並ぶが、もっともな説明はただひとつ、説明など不要だということなのだ！　この表紙に載るのは、たとえば自転車レースのツール・ド・フランスで七回続けて優勝したというような、例外中の例外の成績を収めた選手なのだ。そのようなダントツの成績のあとに平均に近い成績が出ても、少しも不自然ではない。このことが、「スポーツ・イラストレーテッド」の表紙に載ることが不幸を呼ぶというジンクスとは、なんの関係もないことはいうまでもない。

最後に、どこにでもあるとりわけ油断がならないエラーをあげれば、「ギャンブラーの誤謬」というのがある。偶然が支配するところでは、ある出来事がその前に起こった一連の出来事と関係づけられてしまいやすい。前に起こった出来事が、統計的に見てそれぞればらばらの場合でもそうである。たとえばルーレットで最初のうち赤ばかり出ていたら、次には黒が出るだろうと考える。しかしこんな予測には根拠がない。なぜならある色が出る可能性はプレーのたびにもとに戻るからだ。ルーレットに記憶力はないのだから。

図1-1●ミュラー－ライアーの錯覚

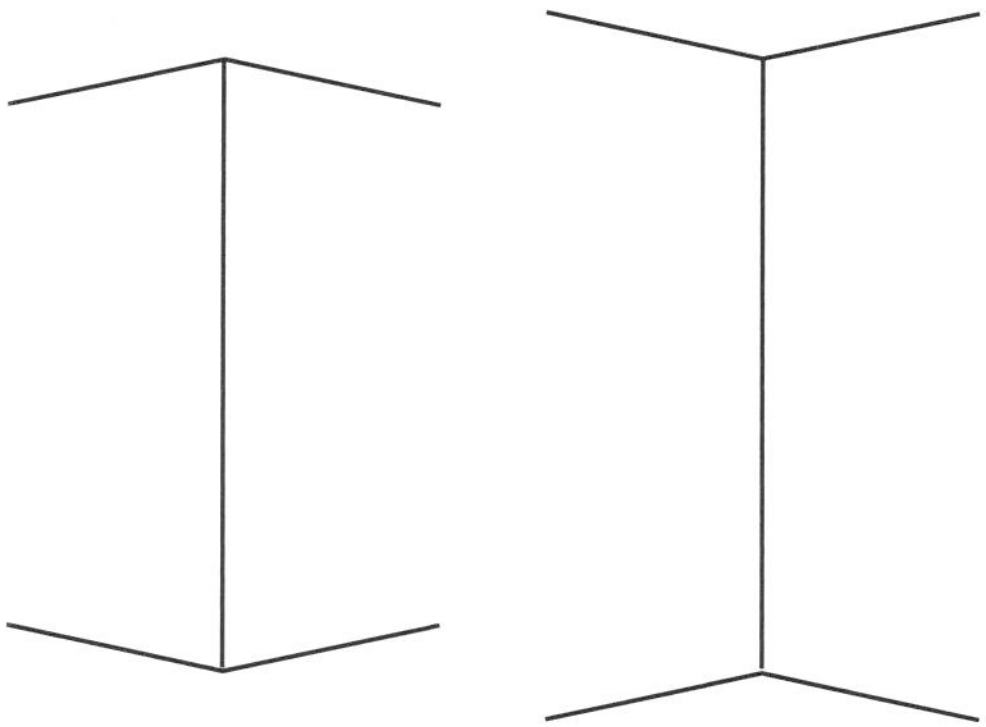

だれもが持つ錯覚

視覚による知覚もまたヒューリスティクスのひとつとなりうる。この無意識の感知方法は、私たちを外界と関連づけながら、多くのことを直感的に（しばしば誤って）解決させる方法だ。このあと出てくる認知上の誤りの特性と範囲を理解するために、それらを視覚による知覚の異常と比較してみることにしよう（この分野ではカーネマンの妻であるアン・トレイスマンが、エキスパートとして世界的に有名である）。ここにあるのは、ドイツの精神科医フランツ・ミュラーが一八八九年に考案した目の錯覚の例である。

多くの人が、右側の部分（「矢」が外を向いているほう）が左側の部分より長いと判断する（図１・１）。しかし実際には、両方の長さは同じである。そのことは、次頁の図（図１・２）のよう

図1-2

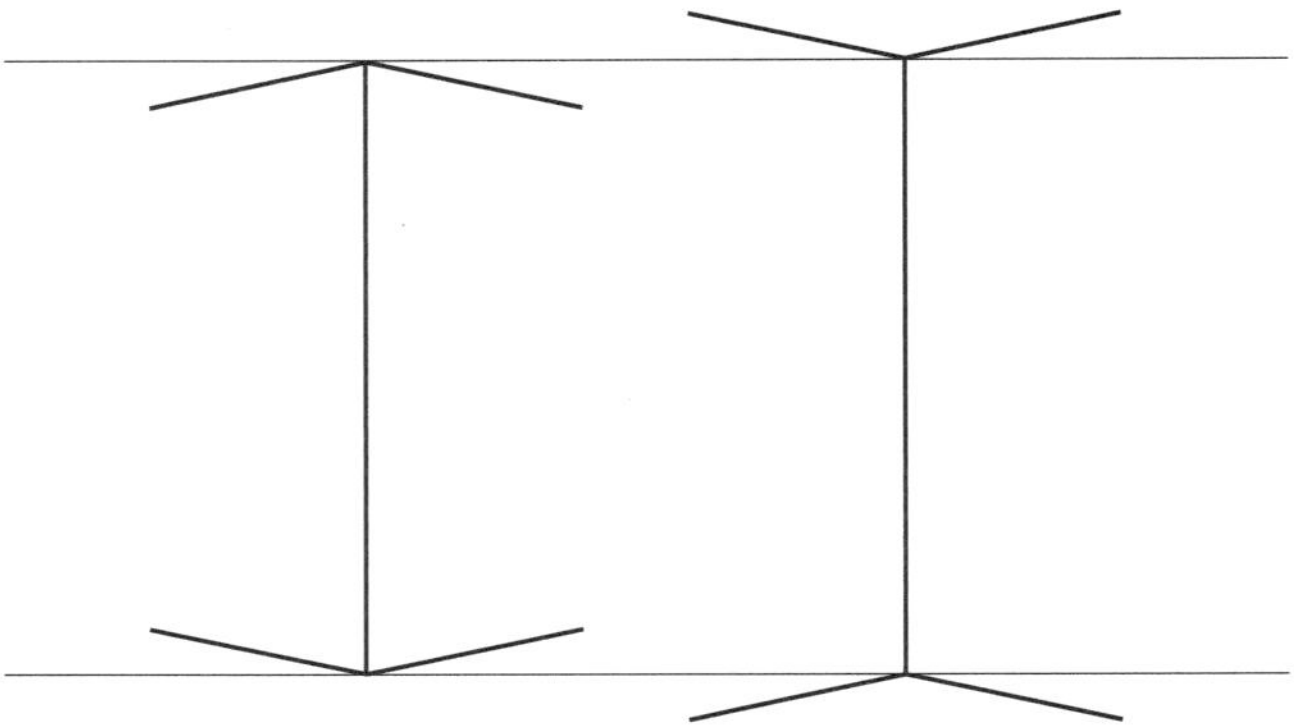

に、二つの部分のそれぞれの上端と下端を結んだ二本の平行線を引いてみればすぐにわかる。「錯覚」というのは、イタリアの辞書「ジンガレッリ」によれば、「間違った印象を現実であると考える［…］誤り」である。私たちの感覚器官と図1・1の図形が出会うと目の錯覚が生じるわけだ。あるものを実際とは違ったふうに見ているのに、見えたとおりだと考える。判断するときに、「手っ取り早く」あるいは直感的にするのもそれと同じで、きちんと計算し頭でしっかり考えたつもりでも、エラーを犯してしまうのだ。

　この類似性は多くのことを教えてくれる。なぜなら私たちが犯すこのタイプのエラーは万人共通で、したがって予測可能だからである。右側の部分のほうがつねに長く見え、そのときによって違うということはない。このエラーは偶然の産物ではないから、それが起こるメカニズムと自動性についての説明や研究が必要になる。その錯覚がどうして何度もくり返されるかについての説明も求められる。私たちはこのような図を目にすると、どちらの長さも同じであると知った後でも、右のほうが長いと思ってしまう。ルーレットや抽選の場合もそれと同じで、一回やるごとに確率はチャラになることがわかっていても、次にはしばらく前から出ていない色や番号が出ると考えないではいられない。この誘惑は非常に強く、これこそがもっとも合理的なことだと思ってしまう。

認知の錯覚は多くの点で知覚の錯覚に似ている。規則的で、予測が可能で、くり返され、だれもが引っかかる。「ふつうの人」がよく知らないことや自分には関係ないことを判断する場合に限らない。経営者、政治家、大学の教官、エコノミスト、エンジニア、ブローカー、医者、弁護士など、専門分野でも優秀で全面的に信頼できる人びとが、「知っているという錯覚」（イタリアの認知科学者マッシモ・ピアッテッリ・パルマリーニの良書のタイトルを借りれば）に引っかかるのである。

ここで言う規則的な認知の誤りとは、だれもが「もっともだ」と考える合理性の法則からはずれるものである。もしあなたがその法則やそこから出てくる理論が知りたくて、どこまでも合理的で、感情などこれっぽっちも持たないＥＴならどんな風に考え行動するかも知りたいなら、次の説明を読んでほしい。もし法則などどうでもいいなら、この説明は飛ばして次の章に移ってもいい。

非合理だからこそ人間なのだ

合理性の従来のモデルは、大きな枝が三本ある木である。三本の枝はそれぞれの理論を表すが、ひとつの形式的な構造を共有している。つまり、比較的簡単でわかりやすい自明の理から、厳密な結論を引きだすのである。

第一の枝は論理学で、演繹的推理の研究である。ふつう、推理はいくつかの前提と一つの結論から成る。演繹的推理では、結論の真実は前提の真実から決まって出てくる。いかなる状況でも、前提が真実で結論が偽りであることはない。たとえば次のようだ。

前提1　サッカー選手はみんなリンゴが好きだ。
前提2　ボボはサッカー選手だ。
結論　だからボボはリンゴが好きだ。

論理的に無効の推理を有効と考えたり、有効な推理を無効と考えたりすれば、論理学の原則を破ることになる。第一の枝の誤りとして周知の例は、いわゆる「結論断定の誤り」である。

サッカー選手なら、リンゴが好きだ。
ボボはリンゴが好きだ。
だからボボはサッカー選手なのだ。

たとえ前提が二つとも真実でも結論が誤りとなることがあるのが、この例からすぐにわかる。実際、リンゴが好きでもサッカー選手でないことは、大いにありうることなのだ。

今度は別の例を考えてみよう。車のエンジンキイをまわしたら、エンジンがかからないで計器板のライトもつかなかった。バッテリーが上がっているのかもしれない。しかしこの推理は演繹的ではない。前提が真実でも、だからといって結論も真実であるとはかならずしも言えないのだ。事実、バッテリーが上がっていなくても、電気系統の中枢がいかれていたりほかの問題があったりして、ライトがつかない場合だってある。前提が結論を出すための根拠にはなっても、そこからいつでも真実な結論が出てくるというわけではない。このタイプの推理は、「帰納的推理」と呼ばれる。

統計学のいくつかの基本的原則の基礎をなしている確率理論は、この種の推理の研究に重要な役割を果たしており、従来の合理的思考の第二番手の枝になっている。リンダの例ですでに見てきた「連言錯誤」は、確率理論の原則違反の簡単な例だったのだ。

三番目の枝は合理的選択の理論から成る。エコノミストにはおなじみの数学的モデルのヒーロー、いわゆる「**ホモ・エコノミクス**」を浮き彫りにする理論である。

合理的選択の理論は、選択の際に個人（ホモ・エコノミクス）が選ぶ優先順位は一貫している、というものだ。日々の暮らしのなかで私たちはふつう、不安やリスクを抱えながら何かを選ぶ。リスクや不安を持つのは、選択する人が、その選択の結果を前もってはっきり知ることができないからだ。もっと正確に言えば、リスクを心配するのは、たとえば宝くじやさいころ投げの場合のように、結果の確率を知っているからなのだ。トリックのない六面（立方体）のさいころを投げれば、「4」が出る確率は六分の一であることを知っている。不安を持つのは、そのような確率を前もって知ることができないときである。

こういう場合によく見られる合理的選択の理論は「期待効用理論」として知られている。どういうものかを理解するために、次の例を見てみよう。

問19

あなたは次の二つのうちから選ぶとする。

A　四〇〇〇円がもらえる確率が二〇％か、何ももらえないか。

B　一六〇〇円がもらえる確率が四〇％か、何ももらえないか。

さてどちらを選びますか？

二つの賞金のそれぞれが持つ効用を示すのに、U（四〇〇〇円）とU（一六〇〇円）を使うことにしよう（経済の分野ではUは効用関数を示し、その値は実数で表す）。このAとBの場合、期待効用は効用と賞金を得る確率をかけあわせて出す。したがってAの場合は、U（四〇〇〇円）×〇・二（二〇％）でU（八〇〇円）になる。Bの場合は、U（一六〇〇円）×〇・四でU（六四〇円）になる。だから、Aを選べば期待効用を最大限に利用できるわけである。

しかし注意してほしい。「期待効用理論」は、こんな場合どっちを選ばなければならないか、については触れていない。この理論は選択の内容を問うものでなく、選択の構造に関係するものである。たとえばその夜たまたまお金の持ち合わせが少なくて、あることをする（たとえば

ホモ・エコノミクス

Homo Oeconomicus　経済人。ホモ・サピエンスをもじってつくられた造語。自己の経済利益を極大化することを唯一の行動基準として行動する人間の類型。標準的な経済学の理論の前提となるが、非現実的な存在。次の三つの特徴でまとめられる。①超合理的：自らの効用を最大化する行動を選択する。そのためにあらゆる情報を駆使し、利用する能力がある。②超自制的：一度決めた行動は将来においても変わらない。誘惑に負けることがなく、意志は強固で崩れず、貫きとおす。③超利己的：行動を決定する際には、自分の利益のみを考える。他人のための行動をとったとしても自己の利益のため、ないしは見返りの期待であり、その意味で道徳・倫理とは無縁の存在である。

食前酒の料金を払う）のに「あと一六〇〇円あったらよいのに」と思うとしよう。この場合は、二つの賞金の差はあまり気にしないかもしれない。目の前の二つの賞金の差（四〇〇〇円と一六〇〇円）が小さいときには、獲得する可能性の低い高額より、獲得できる可能性のほうを優先させるかもしれないのだ。それならBのほうに魅力（うまみ）があることになる。

この理論が合理的人間に対してどんな作用をするかをもっとくわしく見るために、多くの例にならって、あなたもAを選んだとしよう。

問20

ここにもう一つの選択のケースを挿入する。

A* 四〇〇〇円がもらえる確率が五〇%か、何ももらえないか。

B* 一六〇〇円が確実にもらえる。

さてあなたはどっちを選びますか？

この場合は一六〇〇円を確実にもらうほうを選ぶかもしれない（多くの人がこちらを選ぶ）。けれどもこの選択を先ほどの選択と合わせて考えてみると、非合理であることがわかる。BよりAを選び、A*よりB*を選ぶと、「期待効用理論」に反してしまうのだ。それを理解したかったら、初歩的な計算をちょっとしてみればいい。

最初のケースでは、あなたはBよりAを選んだ。そのほうがより大きな効用を期待できると考えたからだ。それは次のように表せる。

○・二×U（四〇〇〇円）のほうが○・四×U（一六〇〇円）より高い。

両方の場合を○・二で割ると、

U（四〇〇〇円）のほうがU（三二〇〇円）より高い。つまり、四〇〇〇円の賞金の期待効用は、三二〇〇円の期待効用よりも大きいことになるわけだ。

しかし二番目のケースではA*よりB*をあなたが選ぶとしよう。あなたにとってはA*の期待効用はB*のそれより小さいことになる。つまり

○・五×U（四〇〇〇円）のほうが一×U（一六〇〇円）より小さい、となる。

この両方の部分に二をかけると、

U（四〇〇〇円）のほうがU（三二〇〇円）より小さくなる。つまり、四〇〇〇円の期待効用のほうが三二〇〇円の期待効用より小さくなるわけだ！

もしこの例でAとB*、あるいはBとA*を選んだら、それは筋の通らない選択になる。このような選択をする人はみな、こういう意味では非合理で、ホモ・エコノミクスから見れば恐るべき人間になる。しかしホモ・エコノミクスというのは、経済学のマニュアルにしか登場しない人物であるだろう。あるいは『スター・トレック』に出てくる超合理的なミスター・スポックの腹のなかとか。

教訓

❶ テレビで「納豆を食べるとやせる」という番組があった翌日には、スーパーの棚の納豆が品薄になった。冷凍食品「中国産餃子」の農薬混入問題の報道。冷凍食品に占める中国産の割合を示す円グラフが示されて「大変だ、大変だ」の大騒ぎ。冷静に考えれば、餃子が食べたくなったら、冷凍食品に頼らず、材料を買ってきてつくればよい。テレビやマスコミに躍らされてはいけない。グラフや数字、確率にだまされてはいけない。ふつうに考え、ふつうに動くことの大切さ。

❷ 野球評論家の話のうち、事が起こってからの「後知恵」的説明は話半分に聞いておくとよい。結果を知っていれば、あなただって「評論家」になれる。

❸ 株価の予測は、どうしても自分（の持っている株）に甘くなりがち（「現状維持バイアス」がはたらく）。

❹ 「ヒューリスティクス」、直感は大切。ときにはわが身を助けてくれる。でも、それが「バイアス」となる。「両刃の剣」ないしは調味料。これがあるから、人生はまた愉しい。

5　見方によっては得

問題の提示の仕方が判断を決める

孫に数学を教えようとしてさいころを持ちだした。さいころを投げた結果を口で説明した表現をもとに、相手がどんな数を出したかを考える。先にさいころを投げたのは孫で、「二つのさいころの合計は3だよ」と孫が言うから、出たのは「1」と「2」だとすぐにわかる。今度はあなたがさいころを投げる番だ。出たのは同じ目のようだ。でも孫には異なった説明をする。「二つのさいころの積は2だよ」これでも孫にはすぐにわかって、出たのは「1」と「2」であるとみごとに推理する。

「二つのさいころの合計は3である」と「二つのさいころの積は2である」は同じ事象を異なったやり方で表現したものだ。同じようにして、たとえば金銭的利得も、表現の仕方には関係なく（もちろん表現は正しくなければいけないが）、同じ効用を持つ場合がある。

もしあなたもそう考えるなら、あなたはいわゆる〈表現によって変化しない〉原則を信じているということだ。この原則は合理性の黄金律のなかでも重要なものの一つである。この種の多くの規則と同様、この原則もじつにもっともで、合理的人間なら疑う人など一人もいない。実際、ある判断や決定をするときには、明確なデータだけをもとにしたいから、顕著な特徴を映しださない余計なものは、わきにどけてしまおうとする。しかし多くの人が、この原則も破ってしまいがちなのだ。たとえば次のようである。

ケース3

あなたはある軍隊の隊長で、一団の勇敢な男たちを率いて、敵地のなかで敵軍に脅かされながら、困難な戦闘をするように命令されている。

第一の場合。司令部からの知らせによると、兵士たちを待ち伏せる罠があって、もし二つの逃走経路のうちの一方をとらなければ、六〇〇人の犠牲者が出るだろうとのことである。

Aを選べば、山岳地帯に逃げこんで、二〇〇名が助かるだろう。

Bを選べば、海沿いを進むことになり、六〇〇人が助かる可能性が三分の一で、一人も助からない可能性が三分の二である。

あなただったら山と海のどちらのルートを選びますか？
（なにしろ生死がかかっているのだから、慎重に選んでほしい。）

ケース4

第二の場合。司令部からの知らせによると、兵士たちを待ち伏せる罠があって、二つの逃走経路のうちの一方をとらなければ、六〇〇人の犠牲者が出るだろうとのことである。

Aを選べば、山岳地帯に逃げこんで、四〇〇名が犠牲になるだろう。

Bを選べば、海沿いを進むことになり、その場合は死者ゼロの可能性が三分の一で、六〇〇名全員が死ぬ可能性が三分の二である。

あなたは山と海のどちらのルートを選びますか？

多くの人はここで、第一の場合はAを選ぶが（七二％）、第二の場合はBを選ぶ（七八％）。つまり多くの人が、それぞれの提示の仕方にかなり敏感に反応しているわけだ。表現の仕方が選択を決定してしまうと言ってもいいほどである。

合理的に見れば、どちらの場合も、AとBには違いがないと思うはずだ。判断できるかぎりでは、どちらの場合の最終的結果も、四つの選択肢の結果も、すべてまったく同じで、四〇〇人が命を失うことになる。

山のルートをとった場合は――選択肢Aで、最初の場合は二〇〇人が助かり、あとの場合は四〇〇人が命を失う――四〇〇人の犠牲者が出る。

反対に海のルートをとった場合は（選択肢B）、「期待値」――確率をかけた数値――は、どちらの場合も助かる二〇〇人に等しくなる。実際、最初のケースでは六〇〇人のうちの三分の一なら二〇〇人が助かるということで、二番目のケースでは六〇〇人のうち三分の二なら四〇〇人が死に、二〇〇人が生き残るということなのだ。

それなのに、この例に見るように、あるルートを選ぶ場合にも、問題の提示のされ方がものを言ってしまう。

これには「**フレーミング効果**」が作用している。助かる人命のほうを説明に入れる場合は、なるべく多くの兵士を助けようとするから慎重になる（第一の場合）。ところが失われる人命のほうを説明で示されると、一人も失わせたくないから、かえって危険を冒してしまう（第二の場合）。

これを投資の場合にあてはめれば、確実に得をする確率が高いときには慎重になり、確実に損をする場合は余計にリスクを負うということだ。これはギャンブラーによく見られる現象で、もうすぐ終わりというときに損をしていると、赤字で終わらせないために、賞金は高いがリスクの大きい賭けに出てしまう。

経済学のマニュアルは、このタイプの問題を解決するときには、最後の結果だけに目を向けるようにと（正しくも）教えている。実際、損得を考えるときの心理的プロセスは、特殊な状況や特殊な問題を前にすると、選択に際して重要な役目を果たしながら、目に見えてさまざまな影響を受けやすいのだ。

イメージに左右される

軍隊の司令官になるのが性に合わなければ、金融界での選択を考えてみよう。

フレーミング効果

framing effect 意思決定において、質問や問題の提示のされ方によって選択・選好の結果が異なることがある。この提示の仕方を「フレーム」と呼ぶことから名づけられた現象。標準的な経済学でいうところの「期待効用理論」では選好・選択の「不変性」を前提とすることから、それとはずれる現象の代表例。たとえば、「手術をするかどうか」の選択で、医者からの「生存率95%」と「死亡率5%」という提示は、中身は同じなのに受け取る印象が異なる。同様に、豚肉の表示で「赤身80%」と「脂肪分20%」は、意味は同じだが、後者の表示ではお客が逃げてしまう。また、商品の値下げ表示で、比率表示か値下げ金額表示かは売れ行きに直結する。一般に商品では、ラベルの提示の仕方、パッケージ・デザイン、ＣＭのキャラクターなどによって売れ行きが左右される。各種の新聞報道では、%表示か実数表示かで印象が異なる。消費税が「外税か内税か」でもめたのも記憶に新しい。

問21（二者択一）

A　三万円が確実に儲かる。

B　一五万円が儲かる確率が二五％で、まったく儲からない確率が七五％。

あなたはAかB、どちらがいいですか？

（答えを出してから次へ行ってください。）

今度は次のなかから選んでください。

問22（二者択一）

C　一〇万円を確実に損する。

D　一五万円を損する確率が七五％、損失ゼロの確率が二五％。

さてどちらにしますか？

ここまで来たら、多くの人がはじめの質問にはAを、次の質問にはDを選んだとしても驚かないだろう（同様の実験ではAが八四％、Dが八七％）。同じ問題への答えが、得したか損したかの提示の仕方を逆にしただけで違ってくるのは、いったいどういうわけだろうか。

すでに見たように、選択肢が得する額で示されると、確実なほうを選ぶ。反対に損する額で提示されると、確実な損失より、損失が大きいかゼロかの確率に賭ける。

頭がする計算を感情がいかに惑わせるかはばかにできない。このささやかな実験では、三万円を得するほうに賭ける人のほうが、一五万円儲かる確率二五％（この期待値は三万八七五〇円だからこっちのほうが数値は高い）に賭ける人より多いのだ。一方で、一〇万円の損失を甘んじて受ける人よりも、一五万円の損失七五％（期待値は一一万二五〇〇円にもかかわらず）に賭ける人のほうが多いのだ。「感情の経済学」とはなんと奇妙なものだろうか。

死亡率より生存率で

選択が大事なのはもちろん金融界ばかりではない。医学的な選択という重大な事態に直面することもある。困ったことに、この種の選択もこれまで見てきたような頭の働きと無縁ではないし、そのために生じる短絡的な選択を逃れるわけでもない。

ここで経済学の問題からしばらく遠のき、権威ある『ニュー・イングランド・ジャーナル・オブ・メディシン』に掲載されたある実験に目を向けてみよう。先ほどの軍司令官の場合と同じようにして、今度は肺癌を想定し、外科手術か放射線治療かという二つの選択肢から選ぶ。参加者たちは、肺癌と二つの治療法についてのおおざっぱな情報をすでに受けとっている。参加者は二つのグループに分けられ、それぞれが別の質問を読んだ。

質問文1（どちらの治療を選ぶか）

外科手術を受けた一〇〇人の患者のうち、九〇人が手術に成功し、一年後の生存者は六八人、五年後の生存者は三四人だった。放射線治療を受けた一〇〇人のうち、一〇〇人が無事に治療を終え、一年後の生存者は七七人、五年後の生存者は二二人だった。

あなたはどちらの治療法を選びますか？

質問文2（どちらの治療を選ぶか）

外科手術を受けた一〇〇人の患者のうち、一〇人が手術中に死亡し、一年後には三二人が、五年後には六六人が死亡していた。放射線治療を受けた一〇〇人のうち、治療中に死んだ人はなく、一年後の死亡者は二三人、五年後の死亡者は七八人だった。

あなたはどちらの治療法を選びますか？

注意深く読めば、この二つの質問にある情報は、実際には同じものであることがわかる。質問文1にある「外科手術を受けた一〇〇人の患者のうち、九〇人が手術に成功し」と、質問文2にある「外科手術を受けた一〇〇人の患者のうち、一〇人が手術中に死亡し」は、まったく同じことを言っているのだ。

しかしこの場合もまた、問題の提示のされ方が異なったために、選択に大きな開きが出た。生存者の数が表示された場合には、外科手術を選ぶ人が八二％だったのに対して、死亡者の数が表示された場合には、五六％にまで落ちこんでいた。

したがって、情報の提示の仕方によって、約四分の一（二六％）の人が、選択を一方から他方へ移すことを意味する。

この実験で驚くべきことの一つは、実験に加わったあらゆるグループで、選択のずれがはっきり見られたということだ。正確に言えば、選択のずれは、さまざまな統計や決定理論を経由して調査に加わった一六七人の医師と二九七人の学生、それに一一九人の患者に見られた。

このような選択の場合、いろいろな「フレーム」が、知識や能力に関係なく、医師や患者や統計のエキスパートに至るまでを、無意識のうちに左右しているのである。

教訓

❶ 白のセーターが欲しくてお店に入ったのに、店員の話を聞いたり、お店を回っているうちに、色の違うジャケットを買ってお店を出てきてしまった。あるいは、晩ご飯のおかずに、魚を買いにスーパーへ入ったのに、「お鍋セット」に目移りがして、それ以外にもいろいろたくさん買ってしまった。これも「フレーミング効果」。大した実害はないかもしれないが、買う前に「本当に欲しかった商品なのかどうか」問いかけてみよう。

❷ 商品の値引き表示は、比率表示がよいか金額表示がよいかは「売り手」として頭の悩ませどころである。比率表示がよいのは「一流ブランド物」「高級品」「(閉店につき、あるいは目玉商品につき) 割引比率が高い場合」などで、「ノンブランド品」「低額の商品」では金額表示、すなわち通常価格と割引価格をともに示すほうがよさそうである。

6　どうして損ばかりしているのか

雨の日のタクシーはどうして早々と引きあげるのか

私たちには、損得の勘定をある枠に入れてしまい、自分がどう行動するかは周囲の状況にまかせる、という変わった性癖がある。この性癖を知っていると、だれにとっても教訓になるある奇妙な現象が理解できる。

ある雨の日に、ラッシュアワー（混雑時）のマンハッタンで、タクシーに乗らなければならなくなったとする。そんなときいかに閉口するか、こういう経験ならだれにもあるかもしれない。なぜタクシーがつかまらないのか。この問題への答えなら、経済心理学の研究者が喜んで出してくれる。

最近ある研究グループが、ニューヨークのタクシー運転手の行動を調査し、彼らがしていることが経済理論に見あっているかを考えた。運転手たちは毎日の目標額を決め、その日の売上げがその額に達すると仕事をやめていた。つまり、客が多い日はさっさと引きあげるというわけだ（たとえば雨の日がそうで、こんな日には、人びとはタクシーを奪いあう）。客が多い日には短時間で目標額に達してしまうから、いつもより早く仕事が終わる。

しかし経済的観点からすれば、運転手は売上げが多い日によく働き、少ない日にはさっさと引きあげて自由時間を楽しむべきなのだ。

ところが実際には、労働時間とその日の儲けとのあいだには、マイナスの相関関係があることがわかった。運転手たちは、短時間で余計に儲かる日に、働く時間を短くしているのだ。

この現象はどう説明したらいいだろうか。

考えてみるまでもなく、答えはすぐに見つかる。タクシーの運転手は、私たちの多くと同じように、損得を同じ秤にかけてはいないのだ。多くの人にとって、損したために失ったものは、得したために得たものより大きい（二倍を超える）のである（これを「**損失回避**」という）。

たとえば一万円なくしたために覚える「いつにない」失望感を埋めるには、少なくとも二万五〇〇〇円は得して「いつにない」満足感を覚える必要がある。

でもこれがニューヨークのタクシーの運転手の「非合理性」を理解するのに、どうして助けになるのだろうか。話は単純だ。その日の売上げの目標額に達することができないと、運転手はそれを損失と考え、そのためにもっと長く働こうとする。一方で目標額に達してしまえば、得をした気分になり、さらに長く働こうなどとは思わずに、それより一杯やろうとする。だから私たちは、いつまでたってもタクシーが見つからないわけなのだ。

得している株は売り、損している株は手放さない

こういうことでは、ニューヨークのタクシー運転手だけが例外なのではない。損することはだれにとっても嫌なことで、投資家もその例外ではない。上がり目の株を売り急ぐ投資家もい

損失回避(性)

loss aversion 合理的に考えれば「100万円から得られる満足度は１万円から得られる満足度の100倍であり、１万円の損による苦痛は１万円の得による満足度に等しい」はずである。ところが、カーネマンらは、「人間は同額の利益から得る満足より、損失から受ける苦痛のほうがはるかに大きい」ことを実証した。これを「損失回避の原則」という。さらに、「利益が大きくなるほど満足度は減っていき、損失が大きくなるほど苦痛の度合いは減っていく」も明らかになった。先に上げた「保有効果」の原因のひとつは「損失回避」にあると言われ、その詳細は後に述べる「価値関数」のグラフに見ることができる。

れば、下がり目の株を売り遅れる投資家もいる。
あなたもそうした投資家の一人であるかどうかが知りたかったら、次のようなテストをしてみてはどうだろう。

テスト1
だれかがあなたに一〇万円くれたとする。あなたは二つの選択肢からどちらかを選ぶ。
A　あと五万円儲ける。
B　コインを投げる。表が出たら一〇万円儲かる。裏が出たら儲けはない。

テスト2
今度はだれかが二〇万円くれたとする。あなたは二つの選択肢からどちらかを選ぶ。
A　五万円の損失を出す。
B　コインを投げる。表が出たら一〇万円損をする。裏が出たら損失はない。

ほとんどの人が、はじめのケースではAを選び、あとのケースではBを選ぶ。確実に儲かるときより、損失を避けようとするときのほうが、より大きなリスクを負おうとするわけだ。容易にわかることだが、選択肢はどっちにしたって同じなのだ。どっちのケースでも、Aを選べば一五万円が、Ｂを選べば二〇万円か一〇万円が手元に残ることになる。

町を歩いていたらだれかがお金をくれる、なんてことはめったにあることではない。だからふざけるのはやめにして、お金や投資のことをまじめに考えてみよう。

しばらく前からオンラインの株取引をはじめているとする。とうとうクリックするだけで時価での株の売り買いができるようになったのだ。まず新たな株、たとえば電力公社の株を買うことにする。現金は十分ないから、手持ちの株のどれかを売らなければならない。そこでＸ社の株にしようか、それともＹ社の株を売ろうかと考える。ここ数ヶ月でＸ社の株は二〇％値上がりし、Ｙ社のほうは二〇％値下がりしている。さてどっちを売るべきだろうか。

タクシーの運転手と同じで、あなたの目的もできるだけ儲けることであるなら、ありえる唯一の合理的選択は、何よりも、将来性がどれほどかの判断にかかってくる。この場合、株を買ったときの価格は、キャピタルゲインを、つまり払うべき税金を考えるためだけの判断基準になる。この観点からすれば、下がり目の株を売るのが妥当である。なぜならその株には一〇％の税金がかからないからだ。

それでは、どっちを選択するかの問題に戻ろう。正直なところ、Ｘ社とＹ社のうち、どっちを売ったらいいだろうか。広範囲な投資家を対象にした調査では、一年間に売る株の数は、手元に置いておく株の数より、平均で三・四％多いという。ではどんな株を売り急ぐのだろうか。いうまでもなく上昇中の株である。投資家には、手元に置いておくべき株を売り急ぎ、売るべき株を売り遅れる傾向がある。

心理的メカニズムはそっくりなのだ。そう、雨の日にマンハッタンでタクシーがなぜつかまらないかとまったく同じことなのだ！

投資家はふつう、手持ちの株の価格を買ったときの価格とくらべてみる。損得勘定の判断基準は買値である。もし現在の値段が買ったときの値段より高ければ、「確実に儲かっている」と考える。私たちには、得すると思ったらリスクを避けようとする傾向がある。そこで、儲けが確実だと思ったらいち早く売ろうとするわけだ。

反対に、現在の価格が買ったときより落ちていれば、損をしていることになる（いま売ったら確実に損をすることになる）。損をしていると、リスクの捉え方が変わってしまう。確実に損することをいやがって、リスクを負うことを避けようとする。かくして売り遅れる結果になるわけだ。

長いこと損ばかりするもうひとつの理由は、「後悔はできるだけしたくない」と考えることである。負けが現実にお金になるまでは、まだ損をしているとは言えない。そこで、「株価がまた上がりはじめないともかぎらない…」とか「買った値段に近づいたらすぐ売ることにしよう」とか「ここまで下がったんだからそろそろ上昇するだろう…」とか「とうとう底値になったようだな…」などと頭をめぐらす。

そしてX社の株を売り、Y社の株を手元に置いて損をし続けるというわけである。

してしまったことを後悔するか、しなかったことを後悔するか

ある種のワクチンには、一万人に一〇人の死者が出る危険性がある。もしそのワクチンによって予防できる病気（たとえばある種のインフルエンザ）の死亡率が一万人につき一〇人未満であれば、だれもそのワクチンを使いたいとは思わないだろう。利益より損失のほうが大きいからだ。

今度は逆の場合を想定しよう。ある種のインフルエンザでは、平均して一万人に一〇人の死亡者が出る。そこでワクチンが開発されたが、それを使うと死者が出る恐れがある。しかし死亡率はインフルエンザの死亡率より低い。この場合、前記の例に照らしあわせてみれば、ふつう、ワクチンを打つほうがいいと考えられる。

ところが多くの人びとは、この二つのケースを分けて考えたがる。一〇人のうちの六人が、子ども一万人に一〇人の割合で死ぬインフルエンザの予防のために、一歳の子どもにワクチンを与えようとは思わないのだ。ワクチンが発症させる副作用の確率が、インフルエンザの死亡率より低いにもかかわらず、である。

これは「**省略の誤り**」として知られる現象である。ワクチンを与えることによって生じるリスクを避けたいのだ。たとえ与えなかったための危険が、与えたときの危険より大きくても、である。

「省略の誤り」には、「後悔を嫌う」(「**後悔回避**」という)というもう一つの面がある。それについて説明しよう。

問23

A 山下さんはX機械製作所の株をいくらか持っている。昨年たまたま、それを売ってY電力公社の株を買おうとしたが、結局はそのままにしてしまった。ところが、もし買っていたら一五〇万円、得していたことがわかった。

B 秋田さんはY電力公社の株をいくらか持っていた。昨年その株を売ってX機械製作所の株を買った。ところが、もしY電力公社の株を売らなかったら一五〇万円、得していたことがわかった。

どっちのほうが余計に悔しいと思いますか?

多くの人が、山下さんより秋田さんのほうが「よっぽど歯ぎしりする」と答えた。

しかし原則から言えば、この問いには意味がないのだ。どっちにしたって結果は同じで、一五〇万円、儲けることができなかったのだから。

それではどうして秋田さんのほうが余計に歯ぎしりすると思うのだろうか。理由は簡単で、山下さんは（できたのに）しなかったことを悔やんでいるのに、秋田さんはしてしまったことを悔やんでいるからなのだ。この二つの後悔には歴然とした差がある。結果が同じでも、しなかったことより積極的にしたことのほうがよほどこたえるのだ。だれだって後悔にともなう嫌な気分は避けたいから、現状を変えようと決意することのほうが、現状を維持しようとすることよりむずかしい。まるで前者のほうが責任が大きいと思っているかのようである。

実際にやってしまったこと、あるいはできたのにしなかったことへの後悔の念は、時間の経

省略の誤り

false of omission「統計の落とし穴」のひとつで、「統計的に有意」であるという相関がたとえ見られたとしても、第三の変数を見落としているために誤った解釈をすること。たとえば、「ダイエット食品を多くとる人」と「体重が重い人」が正の相関を示す統計が出たとする。このことから「ダイエット食品は効果がない」と結論するのは短絡的である。「体重の重い人がダイエット食品を多くとっている」だけかもしれないからだ。

後悔回避

regret aversion 現在および将来における「後悔を嫌い、避けたい」という人間の信念が、意思決定に大きな影響を与えている。人は短期的には失敗した行為のほうに強い後悔の念を覚えるが、長期的にはやらなかったことを悔やんで心を痛める。マーク・トウェインの次の格言がそれを裏づける。「20年たてば、したことよりもしなかったことを嘆くようになる」。

過とともに変化する。（何日とか何週間とかいう）短いスパンでは、まずい選択をしたというように、してしまったことを深く悔やむのに対して、（何年といった）長いスパンでは、「チャンスを逃した」といった、しなかったことへの悔やみが大きい。だから、この何ヶ月かのあいだでいちばん後悔したのは何ですか、とだれかに訊くと、ある選択が思ったような結果を生まなかった、といった返事をする。同じ人物に、いままでの人生で何を後悔していますか、と訊くと、したかったのにしなかったことを挙げることが多い。たとえば短いスパンでもっとも胸が痛むのは去っていった恋人のことを考えるときで、長いスパンでは、あの恋は実現できたはずなのにと考えるときである。

私たちが後悔を覚える、憂うつなうえにばかばかしい（だからといって影響力は少なくない）ケースならまだまだある。

ケース5

マリオとローザはミラノの真ん中で渋滞のために動けなくなった。それぞれヴェネツィア行きとローマ行きのユーロスターに乗ろうとしていた二人は、とうとう走るはめになった。二人とも出発時刻に二〇分遅れて駅に着いた。マリオは電車が定刻通りだったから乗り遅れた。ローザも乗れなかったが、彼女の電車は一八分遅れていたから、いま出たばかりだった。

さて二人のうちどっちのほうが不快だろうか。

問題は、二人とも遅刻したから電車に乗れなかったということだ。しかしこんなとき私たちは、事態を客観的にだけ考えはしない。困るのはあれこれ思いめぐらしてしまうことである。「もしタクシーがほかの道を通っていたら」とか「会議が二分早く終わっていたら」とか。ものごとが違った風に進展する可能性があったときには、いくつもの「もし」がいつまでも頭のなかに列をなすから、腹が立ったりいらいらしたりしてしまう。

同じ理由で、銅メダルをとった選手のほうが銀メダルをとった選手より満足しやすい、とよく言われる。三位に入ってメダルをもらうことは喜ばしいことにちがいない。一方で、金メダルに手がとどきそうなところで逃した場合は「悔しさ百倍」である。だから、客観的に見れば二位のほうが三位よりいいはずでも、主観的には三位より二位のほうが、満足度が低いということになる。二位というのは敗者のなかの筆頭で、三位のほうはそうではないのだ。

こうした場合に悔しさがつのるのは、実現はしなかったが手がとどくところにあったのに、「できるはずだったこと」まであと一歩だったのに、という思いがあるからだ。その思いは日々影のようにつきまとって、なんとなく頭にあるから、何回となく思いだしては、ほかの結果が出せたかもしれないきわどい瞬間を再現してしまう。

この種の思いがいかに強いかがわかるのは、ほんの一瞬の差で勝ちを逃した場合や、思った結果が出せなかった場合だけではない。不運な出来事に巻きこまれそうになったのにあわやというところで助かった場合にも、はっきりあらわれる。ロンドンの停留所で待っていたバスが前の停留所で爆破されたとか、家にいたときに電話がかかってこなければ乗ったはずの電車が脱線したとか。どんな災害にも、「奇跡的に」助かった人の話やたまたま死んだ人の逸話などが無数についてまわる。これこれのささいなことが、時間や空間のわずかなズレが、金メダルでなく銀メダルにつながったとか、死ではなく生のほうへ向かわせたとか。そういうことは納得することがきわめてむずかしいから、客観的に見ることができなくて、もやもやした感情でつつんでしまう。

災害の話はこれくらいにして、日常のなかから例を一つとってみよう。

問24

A 秀雄さんはスーパーマーケットのレジのところに並んでいる。彼の番が来たとき、レジの係に言われた。「あなたは好運にも一〇万人目のお客さまになったので、二万円差しあげます」。

B 弘さんもほかのスーパーマーケットの列のしっぽについていた。彼の前にいた人は運よく一〇〇万人目のお客だったので、二〇万円という賞金をもらった。その人のすぐ後ろにいた弘さんも三万円の賞金を受けとった。

どっちのほうがうれしいと思いますか?

リチャード・テイラーの実験によると、信じがたいことだが、多くの人が秀雄さんになって、（三万円より）二万円もらうほうを選んだのだ。紙一重の差で二〇万円をもらえなかった悔しさを味わわなくてすむなら、一万円の差は惜しくないというわけである。

これも驚くにはあたらない。悔しさを味わわなくてすむ代償なら、私たちは日ごろから払っている。たとえば株を買うかわりに預金をする、といったように。株は上がりつづけていても、得することには目をつぶっている。あるいはもっと給料のいい仕事を探すこともできるのに、安月給に甘んじるといったことも。

要するにいろんなケースで、後悔したくないから決心を後まわしにし、自信がないから縮こまって、現状を変えることができても変えようとしない。選択しないでいることもそれなりの選択であることには気がつかない。

教訓

❶ 行動ファイナンスの心理でいうと、株の損切りをためらって「塩漬け」にしたり、早く苦痛を回避するため「ナンピン（難平）」（安くなった価格で買い足すことで購入価格の平均値

を下げる）したり、利益が出たらすぐに売りに出して早く利益を確定させようとすることの理由が、「損失回避」である。それではこの逆の行動パターン、「損を先にすることを恐れず」売るときには売り、「利益が出てもしばらく様子を見ながら」我慢をすることで、「利益《リターン》」につなげることができるだろうか。

❷「後悔回避」のために、判断を留保するか、判断の責任をだれかに押し付ける場合がある。自分が判断したのでなく、本や新聞に書いてあったから、専門家に聞く、委員会などで討議してもらう。しかし、専門家が必ずしも「正しい」予想ができるとは限らない。

❸不良債権問題では金額が大きいために感覚が麻痺して、動くに動けない。宝くじでは大金が当たる確率はきわめて低いにもかかわらず、購入金額が少額なため気にしないでいられる。競馬の大穴ねらいも宝くじと同じ理屈で、少ない金額で大きな夢を見られるため、やめられない（「大穴バイアス」）と、および、期待するほどには大穴は来ないにもかかわらず、小さな確率を過大評価する）。これらも「損失回避」で説明できる。

7　お金についての錯覚

実収入か額面か

経済の分野での取引は、だれもが知るように、額面か実質かで表現される。月給の額面が四〇万円でインフレーションがなければ、実収入も四〇万円である。けれどもインフレが四％なら、月給は額面の収入からインフレ分を引いて三八万四〇〇〇円になる。額面での表示は毎日の暮らしのなかでの短い期間では、シンプルでよく使われる方法である。それに、インフレが過度でないときには、くだらない衝動買いがどれだけできるかの目安にもなる。しかし期間が長くて重大なものが対象になる場合（給料、家の買い入れ、ローンなど）には、実質の数値のほうが取引のほんとうの価値をよく表せる。

「冷静な」ときには、多くの人が実質と額面との違いをよく理解するが、「かっかしてくる」と錯覚を起こして、額面のほうしか考えなくなる。そういうときにはお金の錯覚に陥っているのである。
次の二つのケースを考えてみよう。

ケース6―7

A 賃金交渉の時期になった。会社は田中さんに、四%のインフレのなかで給料を二%上げることを提案した。

B 賃金交渉の時期になった。会社は鈴木さんに、〇%のインフレのなかで給料を二%下げることを提案した。

田中さんと鈴木さんのうち、どちらのほうが満足しただろうか?

給料が上がるほうが上がらないよりもちろんうれしい。インフレがなくて給料が上がれば、インフレのなかで上がるよりはるかにうれしい。しかし賃金交渉とインフレーションとのあいだの調節は無理だから、私たちは選択するしかない。あなただったらどっちがいいですか? どっちのほうがあなたのプライドを傷つけませんか?
どっちにしたって二%の賃金降下になるわけだが、こんな場合は名目上の数値に目が向き、インフレ〇%のなかでの二%の減額より、インフレ四%のなかでの二%の増額を選択しがちである。なぜなら、結果は同じでも、(損失という枠に入った)実質数値の減少より、(利益という枠に入った）名目上の数値の増加のほうがいいと思うからなのだ。

今度は別の面を考えてみよう。「損失を嫌う」（損失回避性）というすでにおなじみの現象は、参照点をもとにしたものである。そしてもっとも明快で万人共通の参照点は、名目上のもの（この場合は現在の給料）であることが多い。そのためにお金についての錯覚がなおさら大きくなってしまう。

周知のように、インフレーションというのはもっとも不公平な税金で、所得には関係なく万人に平等に降りかかり、比較的貧しい人たちの層に打撃を与える。原則的には、経済的条件が違うとき、ものを言うのは購買力である。一方で、所得の評価はその実質的な購買力だけでなく、とりわけ銀行にどれだけ預けているかにかかっている。だから、実質上の変化はまったくなくても、私たちの選択は名目上の変化につながりやすい。

しかしこの仮説の真偽をチェックするにはどうしたらいいのだろうか。トヴェルスキーとシェイファーは次のような簡単な質問を考案した。

問25

質問。経済上の変化は、個人のお金のうえでの選択に影響を及ぼすことが多い。アメリカ合衆国がいつにないインフレを起こし、その影響があらゆる分野の経済に及んだとしよう。たとえば半年のあいだに給料も年金も、あらゆる福祉費用もサービス料も、約二五％増加したとする。この時点では収入も支出も以前より二五％アップしている。ある人が半年前に革製のソファを買おうとした。その値段が半年のあいだに四〇〇ドルから五〇〇ドルに上がってしまった。現在、そのソファを買いたい気持は増したか、減ったか、それとも半年前と変わらないか？

この実験には三六二人が参加し、そのうちの七％が増したと、三八％が減ったと、五五％が変わらないと答えた。

問26
補足質問。ある人が半年前にアンティーク調の机を売ろうと思った。それが半年のあいだに四〇〇ドルから五〇〇ドルに値上がりした。現在、その机を売りたい気持は増したか、減ったか、それとも半年前と変わらないか？

この実験には四三％が増したと、一五％が減ったと、四二％が変わらないと答えている。

四〇〇ドルが二五％高くなれば五〇〇ドルなのだから、実質価格は変わらなくても、名目価格が上がると、多くの人が売ることには乗り気で買うことには乗り気でないということだ。おもしろいことに、「変わらない」と答えた人は、およそ半分しかいなかった。

公平性の判断にお金についての錯覚が入りこむ「市場の実験」をもう一つ（カーネマン、クネッシュ、テイラーによる）挙げてみよう。

問題をある会社にあてはめ、失業率の上昇でただでさえ少ない売り上げがなおさら減ったとする。

問27 半数の従業員が、インフレーションがないなかで会社は七％の賃下げを決めたと告げられる。残りの半数は、インフレが一二％のなかで五％の賃上げを決めたと告げられる。もしあなたがこういう状況に置かれたらどう思いますか。

実質所得はどちらの場合も変わらない。しかし六二％の人が名目上の賃下げは不当だと判断し、名目上の賃上げを不当だとする人は二二％に留まった。

いうまでもなく公平性の判断もほかの多くの場合と同じく、大方のところが実質変化ではなく名目上の変化に基づいている。理由は明白だ。名目上の変動は頭に浮かべやすく、評価も楽で考えるのもたやすいから、多くのことにあてはめやすいし、見た目は客観的でもある。でももしそうだとしたら、私たちが生きているのは大方が錯覚の世界なのだと考えても、驚くにはあたらないということだ。

名目上の表現と実質上の表現の相互作用についていま見た効果に似たものは、さまざまな場面にあらわれる。正と不正の区別、自分の幸福と他人の幸福との比較などの場合がそうだが、これからそれを見てみよう。

自分の給料より同僚の給料のほうが気になる

問題が論理的には同じなのに、かたちを変えると違った捉え方をされる例を見てきた。このことは、あることが公平か不公平かを考えるときにもあてはまる。

ケース8

ある日、旅行することになった。途中でガソリンを補給しなければならない。東京都内を出る前にスタンドに寄ると、次のような張り紙があった。「一リットルにつき一五〇円ですが、クレジットカードを使う場合には二%が加算されます」

帰り道、またガソリンが足りなくなった。埼玉県の給油所に車を止めると、次のような張り紙があった。「ガソリンは一リットルにつき一五三円ですが、現金で払う場合は割引がありま す（価格は一五〇円でかなりお得です）」

ガソリンの値段の表示方法で、あなたはどちらのほうに好感が持てますか？

おそらく埼玉県のほうでしょう。

ケース9

コカコーラとペプシコーラが、特殊な自動販売機を考えだしたとしよう。その自動販売機にはその日の気温を「読みとる」センサーがついていて、暑い日と寒い日を区別する。暑い日にはよけいに喉が渇くから、清涼飲料水がほしくなり、その分だけ値段が上がる。

コカコーラは暑い日にはコーラを一六〇円で売り（電気料も上がるから）、寒い日には一五〇円で売る。

ペプシコーラも同じ価格で売るが、コカコーラと違って、寒い日には「割引する」と言うのだ！

あなたはどちらがいいと思いますか？　どっちのほうが公平でしょうか？

カーネマンとその仲間による多くのこの種の実験からわかることは、経済的取引における正義や公平の捉え方は、客観的数値によるだけでなく、比較、正当化、動機づけ、提示方法など、さまざまな条件によって左右されるということだ。そしてもっとも重要なのは、その取引が公平かどうかということである。これまで見てきたように、二人がお金の上で同じ状況から出発し、同じ状況に到達しても、一方は公平に扱われたと思って満足し、もう一方は満足しないばかりかペテンにかかったと感じることがある。

このことから、だれでも知っているもう一つの面白い現象が出てくる。ある人が自分の給料に満足するかどうかは、給料の額だけでなく、仕事仲間の給料との比較の結果にもよる、というものだ。

気にかかるのは自分が稼いだ金額だけでなく、他人の稼ぎにくらべて自分がどれだけ稼いでいるかということなのだ。会社は給料やボーナスやその他の恩恵を計算するとき、従業員が進んで仕事をする気になるように、公平感を裏切らないように注意する。経済学者のロバート・フランクは、人びとが決定をする際に、社会的比較がどれほどものを言うかを説いている。彼の著書『正当な価格で買い物をする』には、「私たちの社会生活は絶対的にいい立場ではなくて、相対的にいい立場を選ぶことで成りたっている」とある。

このことは一九六〇年代にすでに知られていて、ケンブリッジ大学トリニティーカレッジの社会学者で歴史学者であるガリー・ランシマンが、豊富な実例を挙げて説明している。彼はマルクス主義の歴史家たちから無視されたり侮辱されたりしながら、その著書『相対的損失と社会正義――二十世紀英国における社会的不公正に対する態度の研究』のなかで、少なくとも二世紀のあいだ、給料アップのもとになった動機は、絶対的な不公平感ではなく相対的な不公平感だったと説いている。ある労働者（鉱員、鉄道員など）の待遇がある日、突然ほかの労働者（左官、機械工など）の待遇よりよくなると、後者は前者の程度にまで「待遇を改善せよ」と、猛烈な要求を突きつける。

組織的な行動を研究しているハーヴァードビジネス・スクールのマックス・ベイザーマンは、これまでに述べた考えを自分の学生を使って検証してみた。学生たちへの質問は、次に述べるある一定期間の仕事を引き受けるかどうするか、というものだった。内容はおおむね以下のようである。

問28

1　A社はあなたに年俸五〇〇万円を払うという。この会社はすべての新卒者に五〇〇万円の年俸を払うことで知られている（この後、仕事の内容についての説明が続く）。

2　B社はあなたに年俸六〇〇万円を払うという。この会社は新卒者に六五〇万円の年俸を払うことで知られている（この後、仕事の内容についての説明が続く）。

三二名の学生のうち、二二名がA社を選び、B社を選んだのは一〇名だけだった。

あなたならどうしますか？　あなたはこう考えるかもしれない。B社はA社より年俸は高いが、自分への評価が低く、新卒の同僚より下のポストに配置されるだろう。はじめがそんなでは願い下げだ。つまり、稼ぎはもっと少なくてもいいから、評価を高くしてほしいし、とくに劣等感を感じないで同僚とまっすぐ向き合えるほうがよい、というわけだ。

一般に多くの人は、比較的よいポストにつけるほうを選ぶ。たとえ小さな池でも大きな魚でいたいというわけである。

一〇〇万円得した喜びより、一〇〇万円損したショックのほうがはるかに大きい

これまで見てきたお金に関するさまざまな誤謬には、ある共通した性格がある。それらには「一般人」の選択を特色づける、認知上の特性が反映されている。ホモ・エコノミクスは数学のモデルのような、抽象的で純粋で正確な世界に生きているが、一般人は変わりやすく無秩序な混乱した世界に生きている。

私たちの決定の仕方を雄弁に物語る例をここにいくつか挙げてみよう（いうまでもなく、ここでもまたダニエル・カーネマンとエイモス・トヴェルスキーが活躍する）。

はじめに認めるべきは、ふつうの人間の感覚器官は、絶対的な数値を測るというより、むし

ろ変化や差異を捉えるようにできているということだ。たとえば手を水に浸したとしよう。水の温度は同じでも、手がそれまで寒いところに置かれていたなら「熱い」と感じ、逆に暑いところに置かれていたなら「冷たい」と感じる。明るさでも音や温度の場合でも、それまで置かれていた状態をもとにして反応するのだ。

図2を見て、あなた自身でそれをためしてみてほしい。色の濃さの異なる四つの正方形のなかにある、小さな正方形をよく見ていただきたい。背景の違いで違った色調を帯びて見える。背景が暗いところではより明るく、背景が明るいところではより暗く見えるのだ。小さな正方形の濃さは同じであるにもかかわらず、人が把握する明るさは絶対的なものではなく、相対的なものであるというわけである。

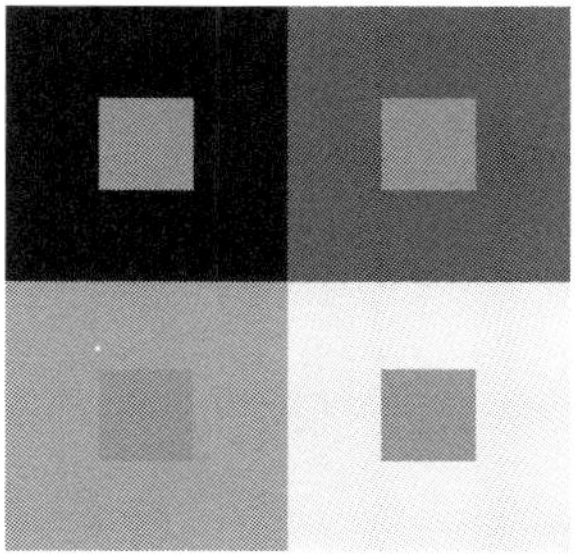

図2●同じ四つの小さな正方形が、それが置かれた背景の濃さによって、明るく見えたり暗く見えたりする。

カーネマンとトヴェルスキーは、これと同じ原則が、富や名声や健康といった、感覚器官には関係ないところにもあてはまると直感した。富や名声などの場合も、判断の結果を測るのに、絶対的で抽象的な観念を尺度にするのではなく、基準になるレベルとどれほど違うかを見ようとする。参照点は時間とともに変化するが、ふつうは現在の状況がもとになる。

ノーベル賞受賞のきっかけになったこの理論（いわゆる**プロスペクト理論**）を提唱してから二十年後に、あなたはどの業績をいちばん誇りにしますかと問われて、カーネマンは次のような意味深い返事をしている。「価値は水準そのものではなく、経済的水準の違いで測られるという理論です」

ふつうの人の判断を把握するには、幸い複雑な数学的モデルなど必要なく、図3のようなシンプルな曲線でつかむことができる。

横軸にはいわゆる客観的に好ましい状態（右側）と好ましくない状態（左側）が示されてい

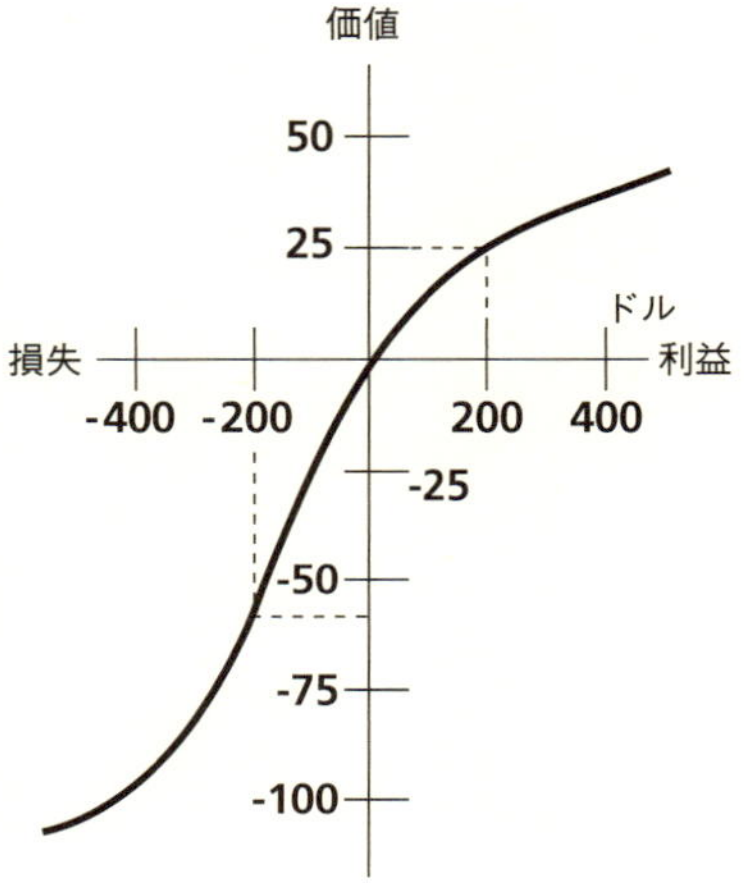

図3●カーネマンがノーベル経済学賞を受賞した理由となった、プロスペクト理論の価値関数。横軸に損得の金額を入れたもの。

る。金銭面での利得や損失、仕事上の成功や失敗、気にかけているチームの勝敗などを思い描こう。縦軸の上方には主観的あるいは心理的に好ましいと思われる変化が示され、下方には「感情の経済学」が好ましくないとはじき出した結果が示されている。

曲線は、賭けに勝ったときや負けたとき、給料が増えたり減ったりしたとき、急な用事でお金を引きだしたりふいにお金が入ったりしたとき、どんな気持になるかという問いへの答えを表している。曲線が左右対称ではなく（利得は凸状、損失は凹状である）、「ホモ・エコノミクス」であれば示すであろう完璧な直線ではないということは、私たち人間が「合理的存在」ではないことをよく表している。

プロスペクト理論

The Theory of Prospect　カーネマンとトヴェルスキーが提唱した実証的な意思決定理論。標準的な経済学では、「期待効用関数」を（効用）×（それが起こる確率）で計算し、この確率には客観的数値をあてる。プロスペクト理論は、この「期待効用関数」の代替理論として考案され、「価値関数」と「確率加重関数」からなる。価値関数は絶対的価値ではなく評価の基準となる参照点からの変化で得られる（参照点依存性）。確率加重関数とは、確率に主観的な重みがあることをいう。利得の場面では危険回避型（確実性を好む）、損失の場面では危険追求型（賭けを好む）で、利得・損失が小さい場合は変化に敏感で、大きくなると感応度が鈍くなる。同額であれば、利得獲得による満足度より、損失負担による悔しさのほうが大きい（損失回避性）。

曲線を注意深く観察してみよう。はじめに気がつくのは、両方の軸が交差する参照点から遠ざかるにつれて、平たくなっているということだ。つまり喜びや悔しさなどの主観的な効用は、損失の場合も利得の場合も、へりに行くほど減少するということである（私たちは一〇〇〇円と一〇〇五円の差より、五円と一〇円の差のほうにはるかに敏感である）。

次に気がつくことは、曲線が右上方（利得）に向かうときには凸状になっているが、左下方（損失）に向かうときには凹状になっているということだ。このことから、私たちは得しそうなときには確実性を好んでリスクを嫌い（危険回避）、損しそうなときにはリスクに向かいやすい（危険追求）ことがわかる。

（右上方より）左下方でカーブが急になっていることは、損したときはいっそう悔しさが大きく不快になるという（損失回避）、すでに何度も見てきたことを示している。（図3の点線より）、たとえば二〇〇ドル得したときのうれしさが「25」であれば、二〇〇ドル損したときの悔しさ・不快さはその二倍以上の、「50」を超えていることが読み取れる。一〇〇ドル得するか損するかの確率が五〇％である賭けには、ほとんどだれも参加したがらないのは、まさにそのためなのだ。円で考えた場合、二万五〇〇〇円得するかもしれないが、一万五〇〇〇円損するかもしれない、というときさえ賭けようとはしない。多くの人が賭けてもいいと思うのは、約三万六〇〇〇円から四万円得をするかもしれないが、損するとしたら一万六〇〇〇円という場合である。単純化すると、X円の損失が引き起こす嘆きは、同じ金額を得たときに感じる喜びの二倍以上だということだ。つまりX円の損失が生んだ憂うつを払拭するには、X円の二倍以上の利益を得なければならないというわけなのだ。

客観的状況と知覚された現実のあいだには、したがって、私たちの頭というフィルターがあり、これがあらゆる行動を、二本の軸が交差する参照点をもとにして、利得と損失、勝ちと負けに分類している。参照点が変われば行動の仕方も変わってくる。交渉（和平交渉や戦争回避の交渉も含めて）の際の戦略が重要なのはまさにこのためである。戦略は毎日、毎時間、ケースバイケースで変わるし、変えなければならなくなる。こうした心理的メカニズムを駆使する取引のプロは、このことをよくわきまえている。

消費者のほうも、たとえばあるスーパーマーケットがある期間、セール中の商品だけを全体として一〇％値引きするか、あるいは、全商品について二％はつねに値引きし、それに季節割引を三％、販売促進商品割引を五％加えるかで、行動の仕方が変わる。多くの人が後者をより好ましいと考える。そのうえ、支払いの際に、現金払いなら割引し、クレジット払いなら手数料を上乗せして、どっちにするかを選ばせる店もある。結局は（ガソリン代の場合のように）どちらを選んでも同じ場合もあるけれど、印象はかなり違ってくる。実際に変化するのは私たちの参照点であり、利得と損失を分類するときの判断基準なのだ。

しかしここにはたしかなことが一つある。あなたの前にいるのは、あなたの選択を自分に有利なように誘導することにかけてはだれにも負けないプロであるということだ。

一般の人は「**確実性効果**」にとりわけ敏感である。ある結果が出る確率が減った場合、その結果がたんなる可能性だったときより、確実に「ゼロ」になるときのほうが、ショックが大きいのだ。ロシアンルーレットのピストルに込められた弾を除去する場合、四発につき一発を取り除くときより、一発しかない弾を取り除くときのほうが、大枚をはたいてもいいと思う。どちらの場合も減る確率は同じ（六分の一）だが、六分の四から六分の三に減るときより、六分の一からゼロに減るときのほうが、よほど心を揺さぶるのだ。同様の例として、皮膚が有毒物質を吸収する割合を一万人につき五人からゼロに減らすときのほうが、危険を減らす人数としては二倍になる一五人から五人に減らすときより、ずっと喜んでお金を出そうとする。

確実性効果

certainty effect 人は、ある事象が起きる確率を主観的に重みづけて考える。とりわけ、確率の極端な数値、すなわち確率が「0」と確率が「1」（100%）に近づくと非常に敏感になる。可能性が不可能になり、可能性が確実になることに感応度が高い。このうち、確率が「1」になること、すなわち確実になることを「確実性効果」という。これは、ノーベル経済学賞を受賞したフランスの経済学者モーリス・ノレが発見したもので、「期待効用理論」への最初の批判となった。「ノレのパラドックス」と呼ばれる。本書では92頁で紹介されている「問20の選択肢B*」も、その一例である。

ここで理論的な問題からはしばらく離れて、一般人の行動にふたたび目を移すことにしよう。

教訓

❶人の感覚器官は、絶対値に対してより、変化や差異に敏感に反応する。夏に暑い外から急に冷房のある部屋へ戻ると肌寒く感じるように。お金の損得、仕事上の成功や失敗についても同様に変化に反応する。得と損、勝ちと負け、成功と失敗に対し、人は対称的には考えないようだ。アダム・スミスの次の言葉が意味深い。「われわれはいい境遇からわるい境遇に転落するときには、わるい境遇からいい境遇へと上昇するときにつねに享受するよりも、多くの受難を感じる」（水田洋訳、岩波文庫）

❷給与が増えたり減ったり、株やギャンブルで勝ったり負けたりするときの人の反応を、「プロスペクト理論」は次のように予測する。絶対水準ではなく、ある水準からの「プラス・マイナス」で（参照点依存型）。利得よりも損失に対して約二倍の価値で反応する（損失回避性）。利得の場面ではリスク回避的に、損失の場面ではリスク追及的に振る舞う（その

判断は「フレーミング効果」に左右される）。確率に主観的な重みづけが加わる（確率「1」の近くでは「確実性効果」がはたらく）。

❸「参照点」は変化する。同じ業種でも賃金格差があり、同じ社内の同期のあいだでも格差が存在する。到達目標が参照点となることもある。毎月のノルマであったり、期の売り上げ目標二億円であったり、やせたい体重一〇キロであったりする。競馬などのギャンブルでは一レース一レースが「いくら賭けて、いくら儲けたいか」の参照点の再設定であり、とかく負けがこんでくると参照点の設定が次第に上昇カーブを描く。ここで一言。「価値関数」のグラフを見てもわかるように、利得も損失も「金額が大きくなると、感覚が麻痺してくるので要注意」（感応度逓減性）。

❹人は金銭に対して、ほぼ無意識で処理される「心の家計簿《メンタル・アカウンティング》」をもつ。これによって、出費に伴う心理的痛みは異なる。たとえば、娯楽費と生活費、日常の買い物と旅先での買い物、一人のときの外食と恋人との外食、飲み会で支払うお金と本代、競馬やパチンコで当てたときのお金の使い道と通常の給料の使い道など。現金支払いとクレジットカード、あるいはローンでの支払いについても、「心の家計簿」は違うようである。

パート2 自分自身を知れ

8　リスクの感じ方はこんなに違う

つじつまの合わない答えを出す

まず次の選択肢を読んでほしい（それほど現実味のある話ではないけれど）。

問29（各問いとも二者択一）

1　八〇〇〇円もらうか、あるいは、ジョージ・クルーニーかアンジェリーナ・ジョリーにキスするか。

2　八〇〇〇円儲かる確率が一％のくじ引きをするか、ジョージ・クルーニーかアンジェリーナ・ジョリーにキスできる確率が一％のくじ引きをするか。

シカゴ大学決定研究センターのユヴァル・ロッテンシュトライヒとクリストファー・シーが

この問題を何人かの学生に出した（もうわかると思うけど、学生は実験室のモルモットみたいなものなのだ）。多くの学生がはじめの問題ではお金を選んだが、二番目の問題では「キスのくじ引き」のほうにした（正確にはそれぞれ七〇％と六五％）。

これは合理的選択の原則を著しく破っている。原則によれば、yよりxを選ぶなら、yを獲得する確率一％より、xを手に入れる確率一％のほうを選ぶはずなのだ。ではどうしてこんな結果になったのだろうか。

私たちの多くは次のように考えるのかもしれない。いたずら心を満足させるために確実な儲けをあきらめるなんてしたくない。だからAではお金のほうがいい。次は、大したことのない金額でしかも当たる確率が一％しかないなんて、なんの足しにもなりゃしない。それなら、かないそうにない夢でもそっちに賭けるほうが、気が利いている。ほんとにキスできたら、話の種になるじゃないか。

金額がつまらないうえに驚くほど低い一％という確率が、相手が有名人だったら、そっちに賭けてもいいという気にさせるわけだ。人間はかなり夢見がちらしい。

さて今度はそれほどありがたくない次の二問に移ろう。

問30（各問いとも二者択一）

1　二五〇〇円を払うか、さもなかったら、短いが苦痛をともなう（健康への影響はない）

電気ショックの実験を受けるか。

2 二五〇〇円を損する確率が九九％のくじ引きをするか、さもなかったら、短いが苦痛をともなう（健康への影響はない）電気ショックを受ける確率が九九％の科学実験に参加するか。

この質問への答えから次のことがわかった。１の不愉快な体験を避けるためには多くの人が迷わずお金を払うが、２では二五〇〇円を損しないために電気ショックを受けるということだ。すでにおわかりのように、この二つの選択も合理的ではない。ｙよりｘ（電気ショックより二五〇〇円の損失）を選ぶなら、ｙよりもｘが起こる九九％の確率のほうを選ぶはずなのだ。

この原則を破るということは、無意識にかもしれないが、次のように考えているということだ。電気ショックをかならず受けなければならないなんてとんでもない。もし少額で確実にそんな心配をなくせるなら、そっちのほうがいいに決まっている。

だから最初のケースでは二五〇〇円を払うことにする。

二番目のケースでは反対に、二五〇〇円を失う確率がものすごく高くて、おまけに儲かる確率が全然ないくじ引きをやるなんて、ばかげたことだと考える。それならかならず受けなければならないわけではない電気ショックを選ぶほうがまだましだ。こうして、金銭的損失を出す場合には非常に高く見積もられた九九％の確率が、電気ショックの場合には、避けられるかもしれないというかすかな希望を抱かせるほうに変わったわけだ。

この二組の質問を考え合わせると、選択の矛盾が浮かびあがる。最初のケースでは、一％という小さな確率が、感情をはげしく揺さぶる体験（有名人にキスをする！）の場合には高く見え、（少しだけお金が入るという）あまり感動的でもない体験ではいっそう低く見えてしまう。二番目のケースはその逆で、九九％というきわめて高い確率が、（電気ショックへの恐怖という）ショッキングな体験の場合より、それほど頭の痛くない（少額だけ損をする）場合のほうが、より大きな意味を持ってくるのだ。

明確な結果を出そうとして、ジョージ・クルーニーやアンジェリーナ・ジョリー、そのうえ電気ショックまで合理性の秤に乗せたのは、まずい試みではなかった。情熱と合理性がむかしから相容れないのは偶然のことではないのだ。この二つは異なった場所にあるとだれもが考える。しかし困ったことに、一人の人間のなかでは、この二つはこれまでの経済学が説くほど遠くに住んでいるわけではない。それに、私たちの合理性を乱すのは情熱だけでもない。感情の介入の仕方はもっと念が入っている。次にその例を見てみよう。

数字を情緒で判断する

問31（二者択一）

今日は日曜日でお祭りがある。あなたは「くじ引き」をやることにして、箱のなかから玉を一つ選びだす。もし「赤玉」が出たら「一万円」もらえるが、ほかの色の玉であれば何ももらえない。

でもくじ引きをはじめる前に、二つの箱AかBのどちらかを選ぶようにと言われる。

A　Aの箱には一〇個につき一個の赤玉が入っている。

B　Bの箱には一〇〇個につき八個の赤玉が入っている。

さてどちらを選びますか？

ごく初歩的な計算をしただけでもわかるが、Bの箱を選ぶよりAの箱を選ぶほうが勝ち目がある（一〇％対八％）。それなのに少なからぬ人が、確率など無視してBを選ぶ。彼らは勝ち目のある玉のイメージを頭のなかに描くうちに、赤玉が一個あるAの箱より、八個もあるBの箱のほうが得策だと思ってしまう。「Aの箱には赤玉は一個しかないのに、どうしてそんな箱を選ぶ必要があるの？」というわけである。この問題の提示の仕方が、赤玉を目立たせる白玉を意味のないただの背景にしてしまったために、二つの箱にある玉の相関関係が見えなくなって、リスクの合理的判断が妨げられてしまったのだ。

ポール・スロヴィッチらは、これに類した多くの例を調査した結果、このような問題を前にすると、感情的反応が強まるのだと結論づけた。感情がとらえる印象（この場合は頭のなかで描いた玉）に頼れば、分析的に考えるより手っ取り早く認知ができる。スロヴィッチは、感情が無意識に動きだして判断や決定のための力強いリーダーになると観察した。そのために彼はこの現象を、「情緒《アフェクト》によるヒューリスティクス」と呼んだ。

多くの場合、私たちの感情は目立つデータにすばやく反応し、それをもとにして効率よく判断したり決定したりする。そして私たちの能力が追いつけない複雑な計算は省いてしまう。しかし「情緒によるヒューリスティクス」は、これまで見てきたあらゆる「ヒューリスティクス」と同様、的をはずしてしまうことがある。Aの箱とBの箱がそのよい例である。

二つの箱の実験の結果は、ありそうにない結果のように見えるが、じつはそうではない。それを理解するために、それぞれがかなり異なる次の二つの場合を考えてみよう。

問32（二者択一）

A　毎年その癌で死ぬ人は一〇〇人につき平均二四・一五人である。

B　毎年その癌で死ぬ人は一万人につき平均一二八五人である。

AとBのうち、どちらのほうが、危険度が高いですか？

容易にわかるが、癌で死ぬ危険性はAがBの二倍の確率である。正確には二四・一五％対一二・八五％だ。ところがある研究によると、七五％の人がAよりもBの癌のほうが危険であると考える。この調査は、心臓病やエイズなどほかの多くの病気についてもおこなわれ、いずれも同じような結果が出ている。

一二八五（癌の患者数）のほうが二四・一五（パーセンテージ）よりインパクトが大きいのはたしかだが、この二つの数が違う範疇に属することが忘れられているのである。

私たちは何かを判断するとき、できるだけ近道を通ろうとするあまり、ときには道をはずれてしまう。まるでまだジャングルに暮らしていて、生き残るためにはすばやい行動が欠かせないとでもいうように、できるだけ手短に簡単にやろうとする。私たちの目は、見たところ動かないものより動いているものをとらえやすいが（狩人だったことの名残りだろう）、注意力のほうも、二四・一五と一二八五に向かってしまう。なぜなら（無視しやすい）一〇〇と一万という冷たい背景より、「熱い」こっちの数字に引かれるからだ。赤玉のケースと同じように、私たちが直感的に重要なデータとして捉えるのはこっちの数字で、ほかの数字は意味のない脇役としてぼやけてしまう。ヒューリスティクスを見直して合理的選択をするには、頭が描くイメージの暗示に引っかからない努力が必要なのだ。そんな努力を、私たちはいったいどれほどしているだろうか。

「一%」と「一〇〇人に一人」の違い

話としては気分のいい例ではないけれど、「情緒によるヒューリスティクス」の例をもう一つ挙げてみよう。

問33（いくら払ってもいいか）

治療しないと死亡する重い病気にかかったとする。これまで飲んできた薬は死亡率を〇・〇〇六%までに下げ、値段は三万円である。製薬会社は死亡率を〇・〇〇三%にまで下げる新薬を売りだそうとしている。

この新薬のためにいくら払ってもいいですか？

今度は次の文章を考えてみよう。

問34（いくら払ってもいいか）

新薬は死亡率を一〇〇万人につき六〇〇人から三〇〇人に下げる。

この新薬のためにいくら払ってもいいですか？

この二つの質問が言っていることは同じことだ。一〇〇万につき六〇〇人なら〇・〇〇六％、一〇〇万人につき三〇〇人なら〇・〇〇三％である。どっちにしてもリスクは半分になるわけだから、同じ額を払うのが当然である。それなのにはじめの場合は平均して三万四〇〇〇円を、後の場合は五万八〇〇〇円を出してもいいと考える。信じるかどうかは別にして、調査ではそういう結果が出ているのだ。

この調査に参加したのは大学生だったが、人生経験の豊かな人でも、このタイプの感情的バイアスなら容易に起こしてしまう。たとえば心理学者や精神科医が、とりわけ意味深な分野の研究で、どんな対応を見せるかを探ってみよう。

スロヴィッチらは、法廷心理学者と法廷精神科医の二つのグループに、精神に不調を来たしたヴェルディ氏という患者の退院について意見を訊いた。全部で四七九人になる彼らは架空の人物ではなく、米国法廷心理学協会など、アメリカの権威ある団体のメンバーであり、多年の経験を積んだ専門家であった。彼らの多くは定期的に、あるいは機会あるごとに、法廷で専門的な意見を述べている。

質問調査はおよそ次のようなものだった。

実験14

A　最初のグループに次のような情報が伝えられる。「ヴェルディ氏のような患者は、退院

後半年のあいだに暴力行為を犯す確率が二〇％あると考えられる」

B　二番目のグループも同様の情報をもとに選択するが、問題の提示の仕方は次のようだった。「ヴェルディ氏のような患者は、退院後半年のあいだに、一〇〇人のうち二〇人が暴力行為を犯すと考えられる」

嘘みたいな話だが、最初のグループ（A）では、二一％の専門家が退院に反対したのに対して、二番目のグループ（B）では、反対者がほぼ二倍の四一％に達したのだ。感情は、相手が専門家であるか否かに関係なくいたずらをするということだが、これほど大きなバイアスが出るのは、いったいどうしたわけなのだろうか。

いちばんもっともらしい理由は、確率がパーセンテージ（二〇％）で表示されると感情にじかにひびきにくく、たとえばヴェルディ氏の場合には、危険の感じ方を弱めてしまうということだ。頻度で示される（一〇〇人につき二〇人）とそれとは逆に、現実にだれかが暴力をふるう恐ろしい場面がただちに頭に浮かび、その場面が感情を刺激する。「一〇〇人に二〇人」とか「一〇人に二人」などと言われると、そんな人数の本物の暴漢が頭に浮かんでしまう。ヴェルディ氏という架空の人物の退院にかかわる場合も、二つの表現方法が異なった感情を呼び起こし、そのことが選択に大きな差異をもたらしたというわけなのだ。

このようなエラーを犯すのは、他人についての責任ある決定を迫られる専門家ばかりではない。私たちが自分のためにする選択の場合のほうがむしろ多いくらいである。同じリスクでも、表現方法が違うと湧き起こる感情の強さが違い、したがって選択も違ってくる。表現がより大きな効果を発揮するのは、それが呼び起こす現実と自分とを強く結びつけてしまうとき、一体化の程度が強いときである。抽象的な問題では合理的に考えることができても、肌で感じとる場合には頭のなかで警鐘が鳴り、確率がひじょうに小さくても不安がかきたてられるのだ。

リスクではなくてチャンスを選ぶ場合も同じメカニズムが働く。たとえばスーパーマーケットでマグロの缶詰の前にいるとする。一方の表示は「二個分の値段で三個」となっており、もう一方には同じ値引きの割合がパーセンテージで示されている。この場合は明らかに、前者のほうが後者より感情へのインパクトがある。前者は「ただでもらえる」分がもうポケットのなかにあるような気分にさせるのだ。

最後に、たとえばあることのために仲介料を払わなければならないとする。この場合、仲介料は総額よりもパーセンテージで示されることが多い。このように抽象的に示されることには理由がある。仲介料として実際に払わなければならない金額が目の前に示されると、貯金の一部が日なかの雪のように溶けていってしまう光景が目に浮かぶのだ。

図4

中身を多く見せたいとき、カップは小さいほうがいい？

次には感情が引っかかる、ほかのタイプの罠について考えてみよう。

上の二つのようなカップにアイスクリームが入っているとする（図４）。アイスクリームが大好きなあなたにはわかるが、図４の右側のカップのほうが、量が多いのはたしかである。この二つのカップを同時に出されたら、ふつうはためらうことなく、左側のではなく右側のカップにお金を余計に払おうとする（比率についての数多くの実験では、少なくともそういう結果が出ている）。

しかしおもしろいことに、二つのカップが別々に出されると、大きなカップに半分入っているときより、小さいカップに山盛りになっているときのほうが、お金を余計に払いたくなるのだ。

はじめの場合は多いほうに目が向き、あとの場合は少ないほうに目が向くのは、いったいどうしたわけだろうか。

それは、二つが別々に出されたときには、アイスクリームと容器の容量との関係に注意が向かうからなのだ。アイスクリームがあふれそうなのを買うと思うとうれしくなるが、半分空だとそれほどうれしくない。ところが二つのカップが同時に出された場合には、二つのカップの容量をくらべようとする。ただ単に余計に食べたいと思うから、余計に入る右側のカップのほうに惹かれるわけだ。

このように、ほかの大きさとくらべられたときに、感情へのインパクトが大きくなるものがある。この比較が参照点を生み、その参照点にくらべてその特性が「よい」か「悪い」かがただちに判断される。すでに見たように、参照点には大きな意味がある。なぜならわれわれが損得を計算する出発点はそこであって、(従来の経済学が示すような)財産の絶対値の変動ではないからだ。

ある量を割合で示すことは、場合によってはじつにわかりやすい。セールの場合などがそうだ。たとえばある店で「全品三〇％割引」と表示されていたら、ある品物の値段がいくらだかたらどれだけ「節約できる」かがすぐにわかる。反対に数字が別個に示されて、参照点がなく、すぐに比較できるものがなかったら(たとえば高速道路での死亡者七五〇人など)、どう判断していいかわからない。

消費者は割合の表示に容易に乗せられやすい。金額は同じでもそれに与える価値は異なるという、すでに見てきた例（携帯電話を買うときには一〇〇〇円節約したくて十分走るが、テレビを買うときは同じ金額の節約になっても走らない）のように、矛盾した結論を出すこともある。

しかしこの例は、人の安全にかかわる場合には当てはまらない。空港の安全についての次の問題を考えてみよう。

問35（二者択一）

あなたは、空港管理会社の経営会議に出席していると仮定しよう。

A　現在の建築構造では一五〇人の生命が危険にさらされる。その九八％を救う対策を考えなければならない。

B　状況はAと同じ。この対策が救える人命は一五〇人であるということだけが伝えられている。

あなたはどちらの対策を支持しますか。

このような問題の場合、実際におこなわれた調査では、同様の対策で危険な人命一五〇人のうちの九八%（つまり一四七人）が救えると伝えられた人のほうが、助かる人命は一五〇人であると聞いただけの人より、その対策を支持する傾向が強かった。これでは経営会議が、絶対数として三つ少ない命を救う案を支持したことになる。まるで一四七人の命のほうが一五〇人の命より価値があるかのようである。

今度は次の実験に注意してほしい。

問36（二者択一）

あなたはNPO法人「サイエンス・フォー・ライフ」の責任者である。いくつかの重病患者支援団体に助成金を与える検討をしなければならない。

X　まずはじめのケースとして、昨年一万五〇〇〇人の死亡者を出した病気Aを扱うX協会から、補助金の申請が出された。Xの救済プログラムでは、死亡率を三分の二に減らせるという。

Y　次のケースとして、昨年一六万人の死亡者を出した病気Bを扱うY協会から、補助金の申請が出された。Yの救済プログラムでは、死亡率を八分の一に減らせるという。

さて、どちらのプログラムを支援しますか？

ここで多くの人が選択するのが、危険にさらされた一万五〇〇〇人のうち一万人を救おうというX協会のほうで、一六万人のうち二万人を救おうというY協会のほうではないのだ。まるで、プラスになるはずの一万人の命には価値がないみたいではないか！

ここでもまた、割合が感情に与えるインパクトが強くて、絶対数の価値の重みが見えなくなっているのだ。その重みを明示するには、すべてを同時に提示するしかない。実際のところ、実験の次の段階で、さまざまなプログラムを参加者たちに同時に示し、そのなかからどれを優先させるべきかを訊いたときには、より多くの人命が救えるプログラムに選択が集中したのである。

イタリアでは比較による広告は禁じられているが、これは残念なことだ。なぜならそれでは多くの情報がばらばらに示されることになり、きわめて有益な参照点というものがないからだ。たとえばあるミネラルウォーターは、客観的に見ればまったく現実離れした「喜びは山盛り、ナトリウムはわずか」という宣伝文句で売り上げを伸ばした。

喜びが山盛りかどうかはその人による。ナトリウムについては、飲み水にナトリウムが豊富に入っていたらどんなことになるかなど、だれにもわからない。その同じ水にほかにどんな不活性の成分が入っているかについて、広告はいっさい言わない。広告のメッセージ、プロモーション、感情を動かすデータ一般などをすべて取り払って、できるだけ弊害のない枠のなかに収めることは、容易なことではない。だからとにかくミネラルウォーターを買うときには、想像力をふくらませて、行動を決める際にあなたの頭に一列に並ぶ宣伝文句を、よくよく眺めてみることにしよう。それでも申し分ない水が買えるとは言えないが、少なくとも、あなたもあなたなりの「感情の経済学」にリードされているのだということは、忘れないようにしたい。本物の合理性のほうは、もっと重要な選択をするときのためにとっておけばいい。それができればの話だけれど。

教訓

❶ 人はどのようなリスクをより高く評価するのだろうか。(1)自分が選んだリスクより、他から強制されたリスク、(2)自分でコントロールできない災害などのリスク、(3)死者が出るリスク、(4)めったに発生しない、マスコミで取り上げられているリスク(利用可能性ヒューリスティクス)、(5)映像的に悲惨なリスク、(6)広い範囲で、すぐ近くで起きたリスク、(7)特定の人だけを襲うリスク、(8)一度に多くの被害者が出るリスク、(9)なじみのない、新しいリスク、(10)自然によるものより人工的なもの、先端技術によるリスク(遺伝子組み換えや放射線、原発など)、(11)次の世代、子どもたちに影響が及ぶリスク、(12)原因不明、謎、何が起きているのかわからないリスク。

❷ リスクでは提示のされ方に注意を払えば、必要以上に神経質にならなくてもすむ。先に挙げた「リスクを過大に評価する」原因以外に、提示の仕方によって「アンカリング効果」「フレーミング効果」「代表性ヒューリスティクス」がはたらくとみなしたほうがよい。

❸ 宝くじでは、番号が自分で選べるロト４、ロト５、ロト６に人気が高まっている。当選者がいないと次回に賞金が持ち越されるのも人気の秘密。当たる確率はどれも同等であるのに、好まれる番号１、３、７、18などがある一方、好まれない番号９、13、42、49などが存在する。また、前回の当選番号が、次回には来ないだろうと思うのは「小数の法則」によるバイアスである。

❹ 競馬では、他の人がどのような馬に賭けるかでオッズが決まる。その日の最終レース近くになると、負けている人は負けを取り戻そうと「大穴」志向に走る。「大穴バイアス」が強く作用するため、堅い決着だったのに穴馬券になったり、小穴が中穴になったりして結構オイシイ。

❺ 馬券の買い方には、複勝、単勝、ワイド、枠連、馬連、馬単、三連単があり、一般にこの順番で当たる確率が低くなる。とにかく当りたいのであれば前者を、少ない金額で大きな夢を見たいのであれば後者を買うということになる。「熱くならず、冷静に勝負したい」のであれば、賭けるレースとトータルの掛け金を最初に決めて買ってしまうことをお勧めする。

9 リスクとの駆け引き

相対的リスクと絶対的リスク

トークショーなどを見ていてわかるように、統計は見方によっていろんな風に読めるものだ。それに、そこに出てきた数値が絶対というわけでもない。

毎日読んでいる新聞の、科学の知識を「深めよう」というページに、国際的に権威ある雑誌に載った最近の研究を伝える記事があったとする。その記事によると、コレステロール値が高い人はそうでない人にくらべて、心臓発作を起こす率が五〇%高い、という。コレステロール値が高い人がこれを読んだら、不安や心配が明らかに増す（その結果、薬の量を増やしたり、不安を吹き飛ばそうと好きなチーズを食べて、コレステロール値をいっそう高めてしまったりする）。だから、こう考えるほうがいい。「この数字ってほんとうは何を言いたいわけ？」と。

手はじめに、同じデータを別のやり方で示してみよう。

予測によれば、コレステロールのレベルが正常な五十歳の人一〇〇人のうち、その後の十年間に心筋梗塞を発症する人は四人である。一方、同年齢でコレステロール値が高い人の場合、発症する人は六人に上る。

新聞にあった五〇%という数字は、だから、コレステロール値が高いと、その後の十年間の一〇〇人中の発症者数が四人から六人に上がるということの、別な表現であるわけだ。

また別の言い方に変えると、「高コレステロールは、そうでない場合一〇〇人のうち四人と予測できる発症者数を、二人増加させる。」この二人は四人の半数だから、五〇%というわけだ。

専門用語が入ってきたりすると、ことが少々ややこしくなるが、科学分野のリポーターは、そんなことは意に介さないかのようだ。四人に二人（つまり五〇%）というのは「相対的リスク」の増加を言っているのである。しかし同じデータを表現するのに（新聞は採用していないが）、「絶対的リスク」の増加というのがある。この例の場合は、「絶対的リスク」の増加は二%、すなわち一〇〇に対する六と四の差という、単なる「割合の差」になる。こっちのほうが、ニュースが人びとに与えるショックが小さいことはたしかである。

こういうことがわかっていれば、むやみに不安にならないで、数字が実際は何を言っているのかを、よく考えることができる。

たとえばこんなときもそうだ。これもよく見かける話題である。「シートベルトを常時着用していれば、リスクを一五％減らせる」

「わかった、シートベルトならいつだってつけている」とあなたは考えるかもしれない。でもだからといって、七十年間車に乗っているうちに完治不能の怪我をする危険性について、実際に何かがわかるのだろうか。答えは「ノー」である。なぜノーなのかと言えば、減らせるのが「絶対的な危険」なのか「相対的な危険」なのか、はっきりしないからだ。

たとえば、七十年間車に乗っているうちに完治不能の怪我をする危険性が二〇％であると知ったとしよう。もしその記事にあったデータが「絶対的リスク」をさしているなら、ただ単に二〇から一五を引けばいい。そうするとシートベルトはリスクを急激に減らし、五％にまでなる。しかしそのデータが「相対的リスク」の減少をさしていたのなら、事情はまったく異なってくる。今度は二〇の一五％、すなわち三を二〇から引くことになる。この場合、安全ベルトの効果はやはり高いにしても、まあまあというところだ。全体として、リスクは一七％に落ちるからだ（二〇から三を引く）。

これはプロのための専門的データのように見えるかもしれないが、そうではない。「相対的リスク」と「絶対的リスク」の差はきわめて重大な結果をもたらすのだ。めったにない状況を大きく揺さぶるような要因は、「相対的リスク」を測るうえでは大きな影響を及ぼすが、「絶対的リスク」への影響は少ない。こうしたケースの場合、「相対的リスク」で情報が示されると大きな反響を呼ぶが、「絶対的リスク」で示されればそれほどでもない。言葉をかえれば、こうした状況では、「相対的リスク」への評価が、選んだデータの結果の評価を過大にしてしまう。これが及ぼす危険は軽視できないが、薬の業界はこれをうまく利用することが少なくない。

リスクについての情報を感情的にあるいは自分に都合がいいように判断すること、ふだんから持っている考え方、家計の状況などは、私たちの感情的反応を左右して、合理的判断を遠のけてしまいやすい。リスクにまとわる感情のうち、もっとも抵抗しがたいのは恐怖である。狂牛病、鳥インフルエンザ、核エネルギー、大量殺戮兵器、コレステロール……。こういうものへの恐怖を利用することは、説得のためのじつに有効な手段になり、ときには、個人の自由を集団の名によって抑圧したり、公益に反する方向に導いたりすることもある。

身分証明書に指紋などの生物学的データを書きこんだり、ただ疑わしいというだけで一般市民の通話の傍受を許可したり。そういうことを許す法律を成立させたい場合、テロリズムの危険への恐怖を前もってあおっておけば、成功する率が高くなる。もし私たちが、大惨事に結びつくイメージを頭のなかに容易に描ければ、そんな戦略は効果抜群である。警戒心の強弱はあるにせよ、9・11事件の後ではとくに、そういった戦略が大きくものをいうようになっている。

しかし注意すべきは、こうした戦略は政治や法律やテロに関係ないところでも大いに力を発揮するということだ。高価な家庭用浄水器やエアバッグなどの販売促進のためのような、ありふれた商業上の目的でも、実際に使われている。しかし、家庭用浄水器やエアバッグに、宣伝文句のような効果がほんとうにあるのだろうか。

リスクを報道するプロには周知のことだが、私たちを震えあがらせるリスクと実際に死を招くリスクとのあいだには、大きな開きがある。そのうえ、私たちに制御できそうなリスクは、制御できないリスクほど大きな恐怖は生まない。狂牛病や鳥インフルエンザで死ぬ人はごくまれだが、ビーフステーキや鶏肉を食べるとき、それらが汚染されているかどうかは知りようがない。一方で、ミラノとヴェネツィアを結ぶ高速道路を運転するとき、ハンドルを握るのはこの私なのだ。ビーフステーキのほうはあきらめるとしても、高速道路で無茶な運転を平気でし、安全性にひびを入れるのは私であるわけだ。

シカゴの経済学者スティーヴン・レヴィットがその著書『ヤバい経済学』(邦訳 東洋経済新報社)のなかでたずねている。官庁は撲滅のための資金を捻出するとき、テロリズムへの脅威と心臓脈管系疾患の脅威と、どちらを的にするほうが一般の同意を得やすいか。テロによって命を失う確率は、コレステロールで動脈が詰まったために梗塞を起こす確率よりはるかに低い。それなのに「テロリストは私たちの手のとどかないところで悪さをするが、ポテトチップスの場合は違う」ということになる。

統計に表れた数字が読めない

アメリカ合衆国では毎年七万人が、避けられる医療ミスで死亡している。ドイツでは毎年一〇万人の女性が、癌がないのにマンモグラフィーで見つかったとして乳房切除の手術を受けている。毎年何千人という男性が、前立腺の早期診断が死亡率を減らすという確証もないのに、検査を受けている。専門家かそうでないかの区別なくこういうことが起こるのは、いったいどうしたわけだろうか。その答えは、統計が読めないということなのだ。次にあげる頭のテストをしてみれば、あなたもその一人でないかどうかがわかる。

問37（あなたがイタリア人だとして答えてみてほしい）

あなたはいま渋滞のなかで車を運転しながら、エイズ検査のために病院へ向かっている。それまでの数日のあいだにざっと知識を頭に入れておいたから、次のようなことはわかっている。イタリアでは、麻薬中毒ではなく危険な性行動もしていない人のうち、〇・〇一％がエイズに感染している。もし感染している場合は、検査で陽性と出る確率が約九九・九％ある。感染していない場合は、検査で陰性と出る確率が、約九九・九九％である。ということは、〇・〇一％の人が、実際には感染していないのに、（誤って）陽性と判定されるということなのだ。さて問題。もしテストで陽性と出た場合、エイズに感染している確率はどれくらいですか？

大多数の人が、確率は九九％以上であると答える。しかし周知のように、この種の問題は頭を混乱させることが多い。しかしこれも周知のように、確率の計算を使えば正確な答えがきちんと出せる。でもあなたはいま渋滞にはまっていて、紙とペンだけでなく計算機も使えない。それではどうしたらいいだろうか。

問題をすばやく解くために、答えが透けて見えるような表現をしてみよう。たとえば次のようだ。麻薬中毒ではないし危険な性行動もしていない一万人を考える。そのなかの一人（〇・〇一％）はエイズで、テストではほとんど正確に（九九・九％）陽性と出る。そのほかの九九九九人は感染していない。感染していない人の数がこんなに多いなかで、一人が検査で（誤って）陽性とされてしまうのは、ほとんどたしかなことなのだ（実際私たちは、誤って陽性と出た人が〇・〇一％、すなわち一万人に一人いることを知っている）。つまり合計で二人の人が検査で陽性と出ることになる。

ここで問題。この二人のうち実際にウイルスを持っているのは何人か。いまやあなたの頭にかかっていた霞は晴れていて、答えは二人のうちの一人であることがわかる。だから、検査で陽性と出たときにあなたがウイルスを持っている確率は九九％ではなくて、（およそ）五〇％なのだ。検査を受け直すほうがいい理由を、少なくとも五〇％は持っているというわけである。

問38（妊娠している女性だとして）

さて二番目の（今度はうれしい）問題に移ろう。由美さんと桂子さんはしばらく前に妊娠したので、胎児の性をかなり早く知ることができる検査を受けた。

A　男児なら検査では九〇％の確率で「M」という回答が出る。

B　女児なら七〇％の確率で「F」という回答が出る。

由美さんの結果はMで、桂子さんの結果はFだった。それなら由美さんは桂子さんより、未来の子どもの性について確信が持てるだろうか。

問題をそれに見あった認知方法に照らしあわせてみると、実際はこの逆（!!）であることがわかる。

由美さんや桂子さんのような女性二〇〇人が、同じ検査を受けるとしよう。彼女たちのうち一〇〇人は男児を妊娠し、一〇〇人は女児を妊娠しているとしよう（つまり、便宜的だが男女の確率はほとんど同じであると見るとしよう）。この二〇〇人の女性のうち、Mの結果を得るのは、合計で何人になるだろうか。

一〇〇人の男児のうち九〇人にMという「正しい」結果が出ると予想できる。けれども一〇〇人の女児のうち三〇人がMであるという「誤った」結果も出るはずだ（検査では七〇％のケースで女児を正しく見分けているが、残りの三〇％のケースでは誤って反対の結果、Mが出ている）。したがってテストの結果がMだった人で、実際に生まれた子も男児だったという人の確率は、一二〇人（九〇プラス三〇）のうちの九〇人で、七五％ということになる。これが、由美さんが男の子を生む確率になるわけだ。

一方で、二〇〇人の女性のなかで結果がFと出る人はどれほどだろうか。この場合、女児一〇〇人のなかで七〇人がFという「正しい」結果が出ていて、男児一〇〇人のなかで一〇人だけがFという「誤った」結果が出ている。したがって、結果がFと出て女児を産む女性の確率は八〇人（七〇プラス一〇）のうちの七〇人、つまり八七・五％になるわけだ。これが、桂子さんが女の子を妊娠した確率になる。だから桂子さんは生まれてくる子どもの性に関しては、由美さんより確信を持っていいというわけなのだ！

エイズのテストや妊婦の胎児性別検査からわかることは、統計に日ごろからなじんでいないといかに罠にはまりやすいか、そのために生じる錯覚がいかに人を惑わせるかということである。

後の章でも見るように、こうした錯覚は故意につくられ、政治、経済、商業の場でうまく使われることもある。統計の知識がないと、個人の自由が大幅に狭められてしまう場合もある。人間ははるか昔から確実さを求めてきた。宗教裁判では拷問がたしかな真実（！）を探るためにたくみに使われていた。目的が崇高なら手段はあらっぽくてもいいというわけだ。確率という数学理論が、宗教改革と反宗教改革が「異論のない絶対的観念」（訳注　カトリックの教えは絶対的で異論はありえないという考え方）というそれまでの神話を打ち破った時代に出てきたのは、おそらく偶然ではないだろう。その後構築された（科学的）真理についての新たな概念（訳注　ものごとを「確実」と思わず、まず疑ってみるという態度）のおかげで、確実性を求めるかわりに不確実な状況のなかで納得できる判断を探るという、より謙虚な道がひらかれたのである。

教訓

❶新聞やテレビの報道を見るときに、各種の統計数字については、母体数がどれだけかを確認し、％表示であれば実数に、実数表示であれば％表示に、置き換える頭をもとう。そうすれば、最初に受けた印象と異なり、騒ぐようなことではない、とわかるかもしれない。また、％表示を見たら、残りの％が何なのかを問いかけることで、事の本質を見抜く眼をもとう。

10　知ってるつもり

プロになるほど過信する

あることの可能性を考える場合、間違えるのはデータを読むときだけではない。評価を表すとき、あるいは判断を測るときにもエラーを犯す。「認知の罠」は無数にあるのだ。たとえばこんな風に。

友人が、ホーム・チームが次の日曜日の試合で勝つ確率は七〇％だと言ったとき、それが間違っていることを示すには、どうしたらいいだろうか。もしホーム・チームが負けたって、友人はこう言うかもしれない。ちょっとしたハプニングが起きちゃったためだけど、そのことは前もって考えていて、そのために三〇％を割り引いていたのだと。けれどもその友人が出そうもないと判断した結果が試合のたびに次々と出たら、その友人の確率評価は当てにならないと考えたって、それはもっともなことである。

この単純な例には、きわめて重要な一般原則が隠れている。ある人がおこなったあることへの確率評価が信頼できるかどうかを測るには、あらゆる種類の起こりえるハプニングを考慮に入れなければならない、という原則だ。この原則をあてはめれば、ものごとの質の正確なレベルをつかむこともできる。ある人がx％の確率を付与した仮説の、正確にx％が実際に正しいとわかったら、その人の判断は「完全に測定されている」という言い方をする。たとえば私の判断が六〇％測定されているなら、一〇回に六回当るというわけだ。

測定の優秀さで有名なのは気象と気候のスイス連邦事務局である。事務局が雨の確率三〇％と予報すれば、雨になるケースは正確に三〇％なのだ。これは一万五〇〇〇日を超えるサンプルによる統計を研究した結果である。

測定が完璧になるような判断をする人は、正反対で左右対称の二つのエラーを犯さない。つまり、自分の仮説が正しい確率を、過大評価も過小評価もしないのだ。人びとが適切な判断を示すかどうかを研究する場合、調査は広範囲に渡っておこなわれる（金融分析、ギャンブル、法律上の評定、臨床心理学、気象など）。大方のところ、適切な判断をくだす人はきわめて少ない。いちばん多いのは、自分の仮説の信憑性をつねに過度に評価してしまう例である。

エキスパートの判断は、ときに深刻な問題になることがある。控えめな行動をとるべきだと直感でわかっていながら強行し、困った事態を招くことがあるのだ。たとえば金融界では、経験豊かな人ほど、過大評価を抑えるどころかさらに高めてしまう。真のエキスパートほど慎重な判断をするものだが、自分の職業的能力の高さについては、プロほど過大評価する傾向がある。

たとえば山岳地のガイドのことを考えてみよう。いまは夏で、天気は二週間続けてよくなかった。だからあなたは遠征を一日一日と延ばしてきた。ついにある日、天気が回復しそうに見えた。「空をちらほら雲が横切ってはいるけれど、今日なら岩壁に挑める」、とガイドが言った。あなたにも自信がありますか？

アルプスのガイドは山とその危険をよく知っていて、近辺の気象の変化も長年観察しているし、それより何より、あなたと危険をそっくりともにするのだ。岩壁で金属類を身につけているときに雷に出会ったら、危険なことこのうえない。安全を保証するはずの金属製のロープも背負っている道具類も、雷を吸い寄せてしまう。ガイドはそれを知っている。しかし彼の判断は、これまで事故は起こさなかったという思いに影響されている。もしその反対だったら、出発しようとは言わないだろう。

でもそれまでの二週間は稼ぎもほとんどなかったとすれば、たとえ善意にせよ、気象のサイン（風向きなど）は十分読みとれるからだいじょうぶだと思いたくなる。しかし、非常に慎重なことで鳴らした人でもなければ、きっぱり心を決めて、自分はまだ経験が足りないと考え、天気がすっかり晴れないうちは動かないことにするほうがいいのだ。ちょっとした山行きのために命を危険にさらすなど、愚の骨頂であるのだから。

それでも私たちは、決定はガイドにまかせようとする。一般に、エキスパートが自分の判断を信じるなら私たちも彼にならって信じるのは、自然な現象なのだ。私たちより知識も経験も豊かなプロが自分の判断に自信を示したら、何も知らない私たちが口をはさむ理由などどこにあろうかというわけだ。しかし私たちは、判断をためらって当然のときに、ガイドがためらっていると、かえってその人の能力を疑ってしまったりする。

要するに、専門家の主観的な確信は、その人の判断の適不適を測る指標にはならないということだ。ではあなたの主観的確信のほうはどうだろうか。どれくらいに測定されるだろうか。あなたはどれだけ自分を信頼できるだろうか。

それを知るために次のテストをしてみよう。

自信過剰がはめる罠

問39

あなたの車の運転能力はどれほどですか。けっこううまいと思いますか？　ほかの人とくらべて平均以上ですか？　それとも平均くらいでしょうか？　平均より低いと思いますか？　どちらでしょう。

この質問を広範囲な運転者にした場合、三分の一が平均以上で、三分の一が平均、三分の一が平均以下と答えると思いますか。

この種の調査が実際にスウェーデンでおこなわれた。結果は九〇％の人が自分を平均以上だと答えたのだ！　だれもがヴァレンティーノ・ロッシかシューマッハのつもりでいるイタリアだったら、評価はもっと高くなるだろう。

しかしこんな結果が出るのは運転技術に限ったことではない。私たちの多くが、「自分は平均以上に頭がよく、正直で、偏見も持たない」と考えている。アメリカの高校生一〇〇万人にした調査では、七〇％の生徒が、自分にはリーダーシップの能力が平均以上にあると答え、平均以下と答えたのはたったの二％だった。教師のほうはもっと控えめかと思ったら大まちがいで、九四％が自分は平均より仕事を立派にこなしていると考えていた。

孔子が言ったという言葉に、「ほんとうに知っているということは、知っていることを知っていると知り、知らないことを知らないと知ることにある」というのがあるそうだ。いうまでもなく私たちの多くは孔子のよき弟子とは言えず、自分の知識をゆがんでとらえ、だいたいにおいて過大評価しているわけだ。

早速、テストをしてみよう。各質問に答え、次にその下にあなたの答えが正解であると思う確率を自己評価してほしい。正解である確信が強いほど、あなたの評価は一〇〇％に近くなる。

問40

1 日本のカルデラ湖で一番大きいのはどこでしょう。　［　　］%

2 「ブルドーザー」と呼ばれた日本の首相はだれですか。　［　　］%

3 国会議員に立候補できるのは何歳からですか。　［　　］%

4 アインシュタインがノーベル賞を受賞した功績とは何ですか。　［　　］%

5 銀が混じった金の王冠と、同じ重量の金の延べ棒を天秤の左右におき、水中に入れた。上に上がるのはどちらですか。　［　　］%

6 太陽と地球までの距離を一〇〇メートルとすると、地球と月のあいだの距離は以下のうちどれに近いですか。

①二五メートル　②二・五メートル　③二五センチ　④二・五センチ　［　　］%

7 日本で三五歳以下の人の第一の死因は何ですか。　［　　］%

（回答は次ページ）

こういう問題でも多くの人が、自分の答えが正解である確率を過大に見積もる。一〇〇%正解だと見積もる人のうち、実際に正解なのは八〇%である。

ここで次のように反論する人がいたとしても無理はない。何かを決めるのに、地球と月のあいだの距離なんか知らなくたって支障はないし、さらに言うなら、自分の分野や決定するべき

問40の回答

1 **北海道の屈斜路湖。**カルデラ湖というと、九州の阿蘇山のそれが、社会科の教科書などに紹介されるなどして有名だが、大きさについては、屈斜路湖のほうが断然広い。2位が阿蘇カルデラ、3位が鹿児島県桜島の北にある姶良カルデラ。知名度の違いは地元の「宣伝」の違いだという（これは、北海道新聞の某記者の弁である）。

2 **田中角栄首相。**小学校しか出ていないにもかかわらず、東大出の官僚を振り回したことと、独特の風貌とガラガラ声、「日本列島改造論」に代表される土建屋のイメージから「コンピュータ付きブルトーザー」とあだ名された。ちなみに、2007年12月の韓国大統領選挙で当選した李明博氏が、角栄首相と同じあだ名で呼ばれているのは、偶然にしてもおもしろい。

3 **衆議院は25歳、参議院は30歳から。**答を1つと思うのは勝手な思い込み。

4 **1905年に論文を発表した「光電効果の発見」。**量子力学の発展につながったと評価された。同じ年にアインシュタインは「特殊相対性理論」と「ブラウン運動」も発表、計3つの大きな仕事をした。1921年にノーベル賞を受賞。受賞スピーチでは「一般相対性理論」の話をした。アインシュタインが後に、量子力学の不確定性原理に対して「それでも神はサイコロをふらない」と批判したのは、有名な話。

5 **王冠。**金の比重は19・3、銀の比重は10・5であることから、重さが同じであれば、体積の大きい王冠のほうが水の中での浮力をたくさん受けて、上に上がる。

6 **③25センチ。**太陽と地球の距離は約1億5000万キロメートル、地球と月の距離は約38万キロ。距離が約400倍離れていても太陽と月が同じような大きさに見えるのは、太陽の直径が月の約400倍大きいから。

7 **自殺。**20－44歳では、死因の第1位が自殺で、痛ましい限りである。15－19歳では自殺は第2位、10－14歳では自殺は第4位（平成15年度厚生労働省発表の「性・年齢別にみた死亡順位」より）。

範囲を超えたところの知識などなくたって、べつにかまわないではないかと。しかしここで問題になるのは、天文学、物理、地理、文学、あるいは文化一般についてどれだけ知っているか、ということではない。問題は、自分についてどれだけ知っているか、ということなのだ。それもとくに、知っているつもりでいること、知らないということを知らないでいることなのである。実際それは、これから見るように、私たちの決定に大きな影響を及ぼしてくる。たしかに私たちは何もかも知ろうとは思わない。しかし自分の知識の範囲は自覚しておくほうがいい。ある選択が適切かそうでないかの違いは、まさにそこを参照点とするからである。

個人投資家やハンドルマネージャーの多くが、自分は市場の動向を十分に予測できると思っている。ハンドルマネージャーを対象にしたある調査で、十二の株価のそれぞれが、一定期間のうちに上がるか下がるかを判断するように求められた。正しい予測をした人は四七％だった（コインを投げて占う結果よりいくらか低かった）のに、自分の予測は正しいと思った人が、平均して六五％もいたのである！

自分の判断能力をふだんから過信していると、リスクを過小評価しやすく、状況操作をうまくできるという錯覚も持ちやすくなる。これは多くのドライバーが陥る過信に似て、投資の際に誤った判断をする主な原因の一つになっている。

それでは金融のプロは信頼できるだろうか。アメリカ最大の日刊経済紙がこの問題をとりあげている。さっそく見てみよう。

成功すると自分のため、失敗すると他人のせい

「ウォール・ストリート・ジャーナル」は定期的に投資の専門家を数人招いて、どの銘柄を買ったらよいか意見を聞く。それと同時に、株式相場の載ったページから、ダーツによって四つか五つの銘柄を選ぶ。それから一定期間のあいだ、それらの銘柄の動きを追う。そうすると、ダーツで選んだ銘柄のほうが、専門家の推薦する銘柄より値上がりしていることが少なくない。こういう場合、ダーツで選んだ人はねらいがみごとか、あるいはよほど運がいいかの、どちらかである。

自分の能力への過信は、それまでの好ましい体験から出てくることが多い。たとえば株式市場に九〇年代に入った人は、好成績を上げやすかった。市場の成長期には楽に儲かるからだ。しかし問題は、その成功を自分の能力のおかげにしてしまうことにある。ウォール街でむかしから言われるように、「上向きの市場を自分の智恵と取り違えるな」というわけだ。ことに大事なのは、結果を評価するときには、偶然、運、セロトニン*の役目を十分に考えることだ。ナシム・ニコラス・タレブの言葉は痛烈である。「運がいい愚か者は自分がそういう者であるとは少しも考えない。[…] 成功を重ねるうちにセロトニン（あるいは類似の物質）がますます盛んに生産されて、市場をいっそううまく操作できるという自信を深めてしまう。[…] 彼らの姿勢を見ればそれがよくわかる。成功したトレーダーは支配者のように背をまっすぐ伸ばして

歩き、うだつの上がらないトレーダーよりよくしゃべる。科学者の発見によると、神経伝達物質であるセロトニンは、私たちの行動に広範囲にわたって影響を及ぼすという。プラス方向のフィードバックを起こし、良循環をうながすが、たまたまよくないことが起こると、逆方向に回転しはじめる」

実際二〇〇〇年のインターネット熱を抗うつ剤のプロザックと関連づける人もいた。いわく、「人びとはすっかり浮かれている。自分を晴朗に確実に表現できるというような、目立たない状況の変化が、いい買いものをしたという気持を強めている。悪循環に火が点くまで、いい成果が上がったのは偶然かもしれないという思いは、棚上げされることになる」（ナシム・N・タレブ『まぐれ―投資家はなぜ運を実力と勘違いするのか』（邦訳 ダイヤモンド社））

たぶん、いくらか憂うつだけどその分だけ賢い、という人のほうがいいのだろう。これはただの軽口ではない。抑うつ傾向を持つ人のほうが、リスクを前にしたときの「測定」がうまく、平均より慎重な予測をたてるのだ。

自分の能力を誤って評価するのはプロザックのためだけではなく、ありふれた心理的トリッ

＊訳注―脳内神経伝達物質のひとつ。同じ伝達物質であるドーパミン（性欲、食欲などの快楽）、ノルアドレナリン（恐れ、驚き）などの情報をコントロールし精神を安定させる作用がセロトニンにはある。気分の安定、落ち着き、衝動性、緊張感などと関わり、一般にセロトニンが増えると脳の活動は活発になり、不足するとうつ状態になる。

クのためでもある。私たちは失敗より成功のほうをよく覚えているのだ。私たちの責任で起こった不祥事がきわめて重大で一生その記憶が消えないような場合でも、その責任がすべて自分にあるとはかならずしも考えない。責任の重みを軽くしたり、和らげたりできるような理由を、どうにかして見つけようとする。周知のように、勝利には多くの生みの親がいても、失敗にはなかなか親が見つからないものだ。それと同じことが、過去の出来事に関して、私たち個人の心のなかの秤についても言えるのだ。

私たちの行動や信念の正しさを裏づけるような何かいいことが起こったときは、その出来事を、自分だけが持つ能力のためだと考えがちだ。ところがことがうまく運ばないで、こっちが間違っていたり、こっちの考えがおかしかったりしたときには、誤りを認めてそこから学ぼうとはしないで、その不快な出来事の原因を、自分の考えや行動などとは切り離し、たとえば運のせいなどにしたりする。

スポーツ選手は（熱狂的なファンでさえ）勝ったときには自分のためだと考え、負けると運やレフェリーのせいにしたりする。学生は試験をみごとにパスすれば、自分の準備をふさわしく評価されたと考え、不首尾に終わったときには、教官の判断が気まぐれだったとか、さらには間違っていたなどと考える。一方教官のほうは、学生たちの成績がよければ自分の教え方が優れているからだと思い、結果がふるわなければ、学生の頭の悪さや不勉強のせいにする。

同じようにして私たちは、自分に期限を守る力があるかどうかは棚に上げて、他人は期限を守るはずだと考える。自分が期限を守れなかったときには、めったにない例外的な事情があったためだとして、自分を正当化する。他人のせいだというその事情が、少しも例外的なものではなく、どこにでもありそうな場合でもである。

うぬぼれという罠はいろんなやり方で私たちをひっかけるが、ふだんする買いものやサッカーくじの場合も例外ではない。セール中の文句に釣られて必要ない買いものをした経験がいったいどれほどあるだろうか。アウトレットや特別提供品は、購買欲を盛んに刺激し、逆の気持をひっこめてしまう。こんなに得な買いものはないと思わせる特別提供品を前にすると、マイナスになるかもしれない（必要でなかったり、じつはお買い得でもなかったり）ことなどすっかり忘れ、買うほうがいい理由がどんどんふくらむ（いい品じゃないか。こんなにいいチャンスはめったにあるまい）。その買いものがほんとうに満足するべきものなら家に帰ってもうれしいけれど、そうでない場合には、軽はずみなことをしたと反省するかわりに、だまされたような気持になる。

同じようにして、毎週サッカーくじを買っているサッカーファンは、めずらしく勝ったときには運ではなく自分の腕のおかげにして、ほとんど負けてばかりいるつね日ごろは運のせいにする。しかし何度くじを買ったところで、試合の勝ち負けの予測が当たるのはまれにしかない偶然で、毎週支払う金額を補うことなどめったにないとは、いつまで経っても気づかない。私たちが買っているのは「夢」なのだから、それでもいいのかもしれないが。

自分に都合のいい面だけを見たがる

うぬぼれは私たちの信念のなかにも深く根を張っているが、このことは、経済学者のジョン・ケネス・ガルブレイスが言ったとされる次の言葉に要約できる。「意見を変えるか、その必要はないかの選択に迫られたとき、ほとんどの人が必要はないと考える」。つまりほとんどの人が、自分の信念を「イエス」と言ってくれるものを好ましいとし、その反対のものは疎んじるわけだ。私たちの多くが自分の政治的信条にそった新聞を読むのも、その一つの現われである。要するに、間違っていると言われるより、正しいと言ってもらうほうが気持がいいのだ。私たちに味方するような情報を求めることに熱心で、その反対の情報には馬耳東風なのもこのためである。

これに関して、アメリカの二人の心理学者リチャード・ニスベット（ミシガン大学アナーバー校）とリー・ロス（スタンフォード大学）が、七〇年代に有名な調査をしている。調査はおよそ次のようだった。学生をその信条によって二つのグループに分ける。一方は死刑賛成論者で、他方は死刑反対論者である。両方のグループに、合衆国の二つの州の犯罪と殺人罪の指数に関する、まったく同じ統計表を見せた。はじめの州では、以前は死刑はなかったがその後導入されていた。後の州では、以前は死刑があったがその後廃止されていた。学生たちには、犯罪の抑止力として死刑は有効かどうかの判断が求められた。するとどちらのグループも、渡された統計表は（まったく同じものなのに！）自分の意見を裏づけていると表明したのだ。

つまり同じデータを、死刑賛成論者は死刑の有効性を示すものとして読み、反対論者は死刑の有害性を示すものとして読んだのである。どちらのグループも「きわめてもっともな理由」から、自分の意見と異なる部分は軽視し、自分の意見の確証となる部分には余計に注意を向けたのである。それだけではない。自分の意見と同じ箇所では、情報として与えられた調査は「よくできてい」て、「重要な事実」を伝えていると考え、自分の意見に合わない箇所では、不適切でうなずけないと判断したのだ。

つまり私たちは、見たいものだけを見ているわけだ。いやなものをどうしても見なければならないときには、見方をいくらか変えてしまう。調査によると、強い先入観を持った人は、是と非の両方を混ぜて一つにしたものを見せられると、そのあとは、もとからあった先入観をいっそう強めるという。それは、自分に合わないものをまったく無視するからではなく、それらを軽んじ疎んじるためのもっともな理由を、やっきになって探すからなのだ。

科学者はこういうことには無縁だと思ったらまちがいだ。科学者がある実験をやり直そうと思うのは、自分の理論に合う結果が出たときだろうか、それとも自分の理論を否定する結果が出たときだろうか。おそらく、私たちにとって明白な事実と思えるものは、ただ単に好ましくうれしいと思えるものなのだ。しかしだからと言って、それがもっとも有益なものであるとは限らない。実験哲学の祖フランシス・ベーコンはそのことをよく心得ていて、自分の本性によくよく注意せよと言い、「自分の経験を否認するものより是認するもののほうを喜ぶのは、人智の典型的な誤りである」という言葉を残している。

ベーコンの言葉があなたにもあてはまるかどうかを知りたかったら、次のパズルに挑戦してみるといい。

問41

あなたの前に四枚のカードがある（図5）。

それぞれのカードは、片面に文字が、その裏面に数がある。左の二枚のカードの裏には数字が、右の二枚のカードの裏には文字がある。

ここで次の文句を考えてほしい。「あるカードの片面に母音が書かれていたら、裏面には偶数が書かれている」

この言葉の真偽を知るには、どのカード（複数）を裏返したらいいですか？

これは七〇年代にイギリスの心理学者ピーター・ウェーソンがおこなった、情報選択問題についての実験である。大多数の人は《E》と《4》を裏返す。正解がわかったらあなたもびっくりするだろう（正解を出す人は一〇人に一人もいない）。裏返すべきカードは最初と最後、

図5

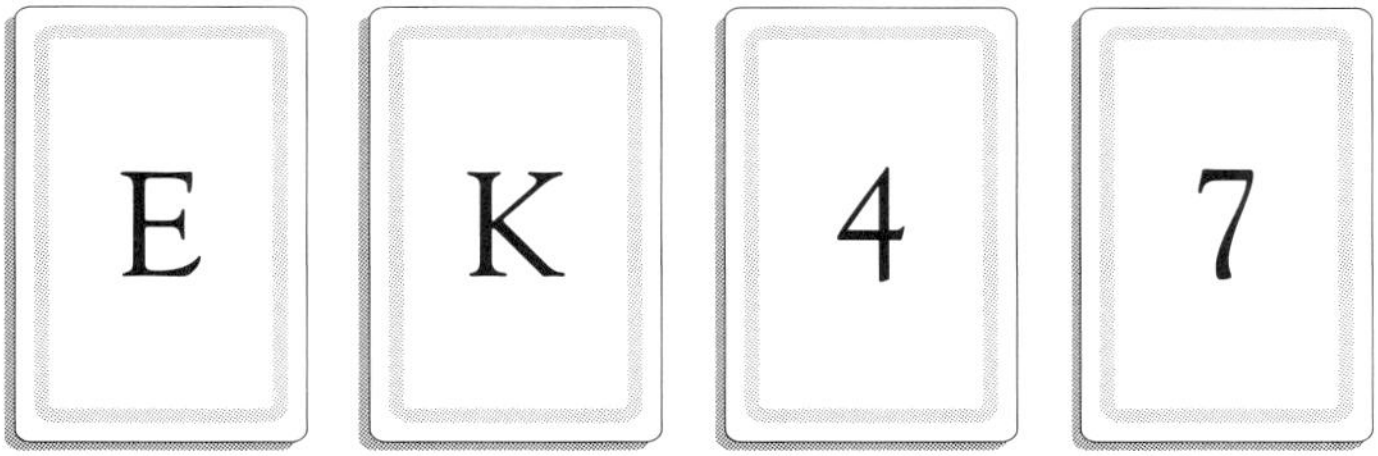

つまり《E》と《7》なのだ。

これに気がつくためには、どのカードならこの仮説が偽りであることを示せるか、を考えてみるといい。答えを言えば、それは片面に母音があり、裏面に奇数のあるカードである。もし四枚のカードのなかにそんなカードが一枚あったら、結果として「この文句は偽りだ」ということになる。

ところで真ん中の二枚のカードは当面関係ない。一枚は子音（K）で、もう一枚は偶数（4）だからだ。だからこの二枚のカードの裏に何があるかはどうでもいい。いずれにしても問題の文句が否定されることはないから、裏返してみる必要もない。くだんの文句が偽りになるのは、《E》のカードの裏に奇数があるとき、あるいは《7》のカードの裏に母音があるときである。

この四枚のカードの問題では、大多数の人が、仮説を否定する情報へは向かわずに、問題の言葉を肯定するカードのほうに注意を向ける。つまり「母音と偶数のある」カードを探すから、最初と三番目のカードに目をつける——三番目のカードは、いま見たように、関係ない。ほんとうは四番目のカードが（最初のカードと同じく）重要なのに、それははじめから無視してしまう。

私たちが好ましいと思うほうに向かうのは、自分の考えがすでにある場合だけではない。前もって意見や信条を持っていない問題を考える場合にも、私たちの注意は、ベーコンが知っていたように、好ましい方向に向かい、その反対の方向には向かわない。

しかし実際問題に向きあうことになったときには、そんなにヘマばかりしているわけでもない。だれかにだまされそうなときにはことにそうである。

問42

今度はあるディスコで用心棒をしながらなんとかやりくりしている学生になったとしよう。その店の規則ははっきりしていて、アルコールは成人にしか売らない。そこで問題。「二十歳以上ならアルコールOK」ということだが、だまされていないかを知るにはどうしたらいいだろうか。入口には長い列ができていて、判断はすばやくする必要があるが、間違えては困る。問題は先ほどの四枚のカードの場合と同じである。しかし今度は列に並ぶお客が紙片を持っていて、その片面には年齢が、裏面には飲みたいものが書かれている（Aはオレンジジュース

図6

で、Gはジントニック、年齢は偽っていないとして）。最初の四人は図6のような若者だった。
さてどの人を調べたらいいですか？　どの人の紙を裏返しますか？

最初の人の紙には「21」と書いてある。調べてみますか？　彼は好きなものを飲めるからもちろん調べない。二番目の人は「A」でオレンジジュースが飲みたいのだから、この人も調べない。三番目は「G」でジントニックが飲みたいのだから、未成年でないことをたしかめるために紙を裏返す。四番目は「16」なので未成年だから、アルコール類が飲みたくてずるをしていないかを見るために紙を裏返す。

先ほどのカードの場合と同じで、このケースでも規則を偽る、つまり規則に反するコンビを見つけるわけだ。しかしこのパズルでは、正解を出す可能性がきわめて高い。実際八五％の人が成功している。だいたいにおいて、考え方は前提の内容に左右される。このケースでは、問題の内容からして正解が出しやすい。一方、先ほどの四枚のカードのほうは抽象的だから、たやすくは行かない。

ここから得られる教訓は、科学哲学者のカール・ポパーにはおなじみのことである。いわく、論理的な理由から、私たちが求めるべき情報は、私たちの思いこみへの反証となるものにほかならない。この教訓を大事にすれば、お手軽な裏づけなどは求めなくなり、年月を経るうちには、うぬぼれをなくすこともできるだろう。時間をかければ、周囲がもたらす否定的な情報をしっかり考えることができるから、私たちの判断はつねによりよく「測定」されていると、思えるようになるだろう。しかしほんとうに、そんなにうまくいくのだろうか。

教訓

❶ 自己に対する評価はとかく甘くなりがちである。プラトンあるいは孔子の態度にならい、自分が知らないことを「知らない」と言うのは、恥でもなんでもなく、明日の自分の成長の糧になる。

❷ 成功すれば自分のため、失敗すれば他人やほかのことのせい。これでは、将来も同じ失敗をくり返す。つらいことかもしれないが、自分の誤りを認めることが前進の鍵となる。

11 経験がじゃまをする

「そうなるはず」という思いこみ

残念なことだが、経験はいつも教師になってくれるとはかぎらない。私たちが自分の知識を過大評価するのは、知っていたこと、あるいは知りえたかもしれないことを過大評価するからである。

あなたはサッカーの熱狂的なファンで、いまのこの試合がそのシーズン全体の優勝を決定するとしよう。0対0で残り時間三分というとき、あなたの応援するチームにペナルティーキックが与えられた。勝利の予感に胸ふるわせながら見ているあなたの目の前で、人気選手がペナルティーマークにボールをおき、突進してキック…。「えっ!…」。一瞬おいてあなたは絶叫する。「やるだろうって思ってたよ!」

これから起こることを予測するのと、すでに起こったことを解説するのとでは、大違いである。あとから解説するのはだれだってうまくできるし、自信も満々だ。証券アナリストの腕はその点で抜群である。市場がどう動こうが、彼らは堂に入った解説をする。株価が上がれば、景気復活の予測に株の売買人が反応したからであり、逆に下がれば、復活予測の効果を市場がすでに見越していたからであり、あるいはまた、国際政治の場で新たな心配事が持ちあがったからである。ほんのかすかな動きにもそれなりの説明がつく（最悪の場合には、価格表の技術上の調整のためという説明までである）。証券市場のような不安定で複雑きわまりない場では、優れたアナリストにも予測がむずかしいことぐらい、投資家ならわかりすぎるほどわかっている。予言者より歴史家のほうが多いのもそのためであり、試合の結果に賭けて暮らすより、スポーツ解説家として稼ぐほうが楽なのもそのためなのだ。

私たちには、過去の出来事に意味を与え、それは以前の状況から避けようもなく生まれた結果なのだと考えるという、特殊な能力がある。そのために、前もって知っている情報があったのだから、すでに起こった出来事も予測できたはずだと、まちがって思いこんだりする。いわゆる「後知恵」という後ろ向きの姿勢から出てくる判断のバイアス（ゆがみ）は、カーネギー・メロン大学のバルーク・フィッシュホフが一連の優れた実験によって明るみに出している。しかしイタリアの月曜日のバール（英語のパブと同じ）に行けば、学識などには関係なく、みんながそれを証明している。そこでは一人残らずが監督になり、試合がそういう風に運ぶことは、だれもが承知していたことになる。フォーメーションでミスをやらかしたのは当然で、ポジショニングも本来のものではなかったし、あのパスもやり方がまずかったし、センターフォワードがあのペナルティーキックを誤ることもわかっていたのだ。

会社の会議などで経営者や上司を前にして分析の結果を発表したとき、出した結果が「それなら前からわかっていたよ！」という言葉で一蹴されることは、あなたにも経験があるかもしれない。どれだけ努力したかとか、報告書がどれほど優秀であるかなどには、いっさい関係ないのだから参ってしまう。レポートを聞いたとたんに、その分析は（あまりにも的確であるために）わかりきったことであるように、上司には思えてしまうのだ。そこであなたに入れ知恵したい。次に新たな報告書を出したり経営会議に臨んだりするときには、目の前にいる人に、これから説明する分析の結果がどんなものかを先に推測してもらうのだ。うまく行けば、そこで結論の独創性を示し、それが最初の直感とはどんな風に違うかも、容易に示すことができるだろう。

判断の後ろ向きのバイアスは、月曜日の朝の技術委員会（あるいは経営代表者会議）で見られるような作用をする。結果は後ではじめてわかったのに、あらかじめ知っていたことと照らしあわせてみれば、その結果は出て当たり前だと判断されるのだ。あることが決定的に起こってはじめて、そのことが、以前に漠然と考えていたよりも、ありそうなことに見えるのである。

いわゆる「知らされていた大災害」も例外ではない。ツインタワーに二機の飛行機が突っ込んだ例の事件の、後から思えば知らなかったのが不思議なくらいのさまざまなサイン。アラブ出身のパイロット志願者の訓練、オサマ・ビン・ラディンの一味のしわざと見られるアメリカをねらった脅しや陰謀のエスカレーション、数ヶ月前から秘密機関が発していた警告。いまなら明らかだと思われるサインが数々あったから、9・11事件は予想できたはずだと考える人もいる。でもほんとうにそうだろうか。アラブ人がアメリカでパイロットの資格を取ろうとしたってなんの不思議もなくて、ただ単にパイロットになりたいと熱望していた場合だってある。秘密機関からの警告にしても、実際は何も起こらなかった例がいったいどれだけあるだろうか。私たちは不確実のなかで生き、決定し、行動をしているわけで、それが危険なものであるかどうかは、時が経たなければわからないのだ。

しかし私たちは、専門家にはっきり指摘されてもなかなか態度を変えない。高潮の恐れがある海岸地帯に観光用施設を建設するために、マングローブの木を切り倒したりする（たとえ一部分でも水に対する自然の防御壁になっているのに）。またロサンゼルスの住民は、巨大地震がやがて襲ってくることをずっと前から知らされていても、町を離れようとはしない。入ってくる情報の量がハンパでないので、だんだん重要性を増してくる情報を見分けることが容易でなく、迫りつつある危険が強調されても、その危険を自分に直接結びつけて本気で考えることなど、結局はむずかしいというわけなのだ。ことに、その危険が、ごく身近だからこそいっそうたしかに見えるものを、根こそぎにしてしまうなどとは、考えることができないのだ。

しかしもし、実際にあることとあるべきことのあいだの距離を縮め、この両者のあいだを隔てる移ろいやすく混乱した感情、未来への視線にまとわりつく希望と不安の入りまじった感情を取り払ってしまったら、ちょっとした外出さえしなくなってしまうことだろう。しかし歴史はこんなことまで気にすることなく、出来事をただ一列に並べて、必然的だから「ノー」も言えない因果関係のなかに収めてしまう。そんなわけで、過ぎたことをふり返ってみると、起こるまでは想像もできなかったほど、予測が可能だったと思えるのだ。

結果よりプロセスに目を向ける

たとえばコップ一杯の水を飲むようなごくありふれた場合でも、危険がないとは言いきれない。流しまで来て蛇口を開けようとしたら電話が鳴って、びっくりしたとたんにコップが手からすべって流しの角に当たり、割れてしまう。それはそのままにして電話機に駆けつけると、隣の住人が、バスルームの備品を替えるために、水道を一時とめたという。あなたは水を一杯飲みたかったのに、コップは割れるし喉の渇きは収まらない。どんなに楽観していても（キッチンへ行って蛇口を開ければ喉の渇きは収まるはずだ）、とんでもない結果になることはあるし、どんなに適切な選択をしても、思ったような結果が出ないこともある。不確かななかで生きていれば、私たちの能力には関係なく、能力が原因でもない方向へものごとが運ばれてしまうことがある。こういうことは、経験をふり返る視線に思いがけない影を落とすことがある。出した決定が適切かどうかを考える際に、誤った方向に導かれてしまったりするのだ。

さっそく例を見てみよう。ヨーロッパ中央銀行が、経済の低迷を見越して、一連の景気後退抑止策を打ちだした。そのあと景気は後退しなかったとしよう。これは、予測が正しくて抑止策が功を奏したことの現われかもしれない。しかし予測は間違っていて（景気は悪くならないで）備えは必要なかったのかもしれない。

今度は景気が後退したとしよう。この場合、予測は正しかったが抑止策が功を奏さなかったのかもしれない。しかし予測がまちがっていて、抑止策はかえってマイナスになったとも考えられる。

ある決定が正しいかどうかを知るには、その決定にともなう結果を考えるのではなくて、決定のプロセスを考えなければならない。「結果はどうでもいい」と言っているのではない。結果は大事である。けれども結果にばかり気をとられると、決定する前に直面していたリスクや不安定な状況を見過ごしてしまいがちなのだ。問題は、結果がわかった後で（事前に正確に予測することなど不可能だ）ある決定を評価するという方法が、将来何かを決定するときのやり方に影響を与え、よくない結果を出してしまうことである。

仕事柄、複雑で不安定な市場に向きあわなければならないアナリストは、持っている情報をもとに不適切な推論をし、誤った判断でまずい投資をしてしまうことがある。しかしそんなときでも、さまざまな理由（好運、好ましい景気変動、予期していなかった合併など）から、よい結果が出る場合がある。するとそのアナリストは、次に同じような場面になったときも、同じやり方で行こうとする。その反対に、正しい判断と適切な選択をしているのに、結果がよくない場合もある。するとその人は、しっかりした知識と論理をもとにして申し分ない分析や選択をしているのに、自分のやり方に疑問をもって、次の売買をしくじってしまったりする。したがって、「後知恵」を頼りにすると、まちがった行動を積極的に進めたり、適切な行動を惜しくも捨ててしまったりする結果になることがあるわけだ。

クリーブランド・メトロポリタン・ジェネラル・ホスピタルが、臨床病理学協議会の一六〇名の参加者をもとにしておこなった調査にも、このことがよく表れている。参加者の一部が、正しい診断が知らされる前に、いくつかのおもな診断の確率を算定した。正しい診断をもっとも確率の高いものと算定したのは三〇％にすぎなかった。第二のグループは、正しい診断が知らされた後で、同じ課題に取り組んだ。すると今度は五〇％の人が、はじめに示された臨床的状況に照らしあわせると、その診断の確率がもっとも高いと判断したのだ。

経験を積んで責任ある立場にある仲間といっしょに働く若い実習生は、似たような状況に陥ることが少なくない。臨床のデータや同僚の診断や決定、とりわけそれぞれのケースの結果を頼りにしてしまうのだ。そうであれば、自分の診断の確かさや決定能力を信頼するあまり、正しい診断を自分で考えたり適切な決定をしたりすることと、だれかが創った道筋を踏むことのあいだにある違いを、それほど気にしなくなっても不思議ではない。要するに、後ろ向きの視線が判断をさまたげて、観察と経験と訓練に基づいた臨床診断の信憑性を低下させてしまうのである。

結論を言えば、過去から学ぶことは簡単で手っ取り早いように思えるけれど、実際には「罠が多い」ということだ。次に喉が渇いたときには、キッチンへ行って蛇口を開けるときにも、もう災難は済んだことなのに、コップはしっかり手に持っているだろう。あれは予期しなかった不運な出来事だったことが、いまならよくわかる。でもいまのあなたなら、偶発的なことを正しく見分けることが、たしかにできるだろうか。もっと不確実で複雑な状況に出会っても、あなたには関係ないものと、あなたの選択から生まれたものとを、区別することができるだろうか。まちがった教訓を身につけないように、よく考えてみる必要があるかもしれない。

教訓

❶ 革靴をある所で、一〇〇〇円で買った。そのときは「超お買い得」と周りに吹聴してい

た。履いて一週間もしない雨の日のこと、靴のつま先が開いてしまった。ひどく惨めな気分になり、「安いから粗悪品じゃないかと思っていたんだ、世の中にはひどいことがあるものだ。買ってたった一週間だよ、一週間」と周りに話す。また、自分の持っている株の株価が下がったときも同様。「あの会社はオカシイと思っていたんだ」（おやおや、この人は数ヶ月前までは、あの会社のことを褒めていたのにね）。

❷ この章で学ぶべきは「後知恵」のバイアスである。結果から語ることは、テレビのスポーツ観戦でもよく見慣れている。このバイアスの罠にかからないためには、プロセスを見ることと、自分の選択した中身・内容がなんであったのかを、事後になっても冷静に振り返る眼をもつことである。それが、将来につながる。

12 投資の心理学

リスクを加味してリスクを減らす

金融に関する従来の常識からすれば、リスクとリターンのあいだにはプラスの相関関係があって、リスクが大きければリターンもそれだけ大きくなる。これは「資本資産評価モデル」（CAPM）*においても明らかである。ある株のリスクに関するおもな情報はすべて、このモデルに従ってベータ係数として表される。ベータ係数は、ある投資の収益率（変動率）が、市場全体の収益率（変動率）にくらべてどれほどであるかを示すものだ。ベータ値1というのは、その株が市場の変動にほぼ同調しているということである。ベータが1より大きいと、そ

*訳注—CAPM　ある資産の価格を決定するために、その資産の将来におけるキャッシュフローの期待値を計算するモデル。「ある資産の期待リターン」＝「安全資産の利子率」＋ベータ×「市場の期待リターンと安全資産の利益率の差」。

の株のリスクはより大きく、したがって動きも市場の変動より大きい。しかしこのようなモデルは、従来の見方からすれば正しくても、投資家の実際の行動をつかんではいない。実際は多くの投資家が心理的トリックにはまって、リスクとリターンの正しい相関関係を見きわめることができず、株を不合理なやり方で管理しているのだ。これに似たケースは本書の冒頭ですでに見てきた。頭のなかで別々に計算してしまうのである。このやり方はポケットマネーの扱い方だけでなく、株券や債券の投資の仕方にも影響を及ぼしてしまう。

いまあなたは自宅のコンピュータの前にいるとしよう。証券会社の華やかなウェブページを開き、証券、債券、株券などをリアルタイムで売買しては、投資によるうま味を即座に楽しめるサービスにアクセスする。新たなテクノロジーは便利だからどんどん活用したいけれど、あなたは控えめな人だから、お金の運用は慎重にやりたい。リスクが高ければリターンもそれだけ大きいことは承知している。日々の変動が大きければ利得や損失が少なくないことも知っている。あなたは確実で安心できる長期の投資がしたいから、まず国の債券に的をしぼる。それなら利益は少ないがリスクも少なくて済む。でもそう思うのは間違いだということもある。リスクの少ない投資をすれば、たしかに安心はできるだろう。でもそれって理に合ったことだろうか？　さっそく検証してみることにしよう。

もう五十年以上も前に、ノーベル経済学賞を受けたプリンストン大学のハリー・マーコウィッツがこう教えてくれていた。正しい選択をするには、受けとるはずのリターン（標準偏差に換算した）に見あった投資のリスクの程度を考える一方で、その株と、同じ証券一覧表にあるほかのあらゆる株との相関関係を見ながら判断するほうがいいと。いわゆる「**ポートフォリオ理論**」は、選んだ株の全体的変動率を減らすために、さまざまな投資を組合わせるほうがいいと説いている。一方で、いわゆる「頭が考える計算」を見れば、私たちがどうして、どのようにしてマーコウィッツの法則を破り、感情の餌食になってしまうのかがわかる。

私たちには、株券や債券への投資のリターンについて、それぞれを別に考える癖がある。リスクのほんとうの顔は、頭のなかの複数の計算を一つの総合的評価にまとめないと見えてこないのに、新たな投資をするときには、まったく新たな計算をしてしまう。

ポートフォリオ理論

The portfolio theory 投資の世界で「複数の卵を一つのかごに盛るな」という言葉がある。そのかごを落としたらすべての卵が割れて台無しになってしまう。複数に分散して投資する教訓を説いたもの。マーコウィッツ教授は、多種多様な有価証券への分散投資で、収益が最大でリスクが最小となることを理論化し「ポートフォリオ理論」を提唱した。個々の証券・株券で見るのでなく「集合体」（ポートフォリオの意味）として見る、全体としてのリスクとリターンを見る、異なる動きをする証券を組み合わせる、それらのバランスで「リスクの回避」「運用の効率性」を考えるというもの。

それぞれの株がほかの株といかに相互に影響しあうかを考えることのほうが、個々の投資のリスクを考えることよりはるかに重要なのだ。極端な例をとれば、リスクの低い株よりリスクの高い株を加えることによって、手持ちの株のリスクを減らすことさえできる。お金は全部まとめてマットレスの下に隠しておくよりも、一部は見えるところ（より危険なところ）へ移すほうがいいのだ。

言いかえれば、あなたがとりわけ控えめな人で、あり金すべてを国の債券に変え、しかも長期の運用を考えているなら、別にリスクの高い証券を一〇％加えておくほうがいいわけだ。こうすれば展望は劇的に違ってくる。リスクの低い証券が、それだけ見ればじつに危険な証券が加わったために様相を変え、全体としてリスクのずっと低いものになってくるのである。

近過去から近未来を占う

リスクとリターンの関係について誤った判断に至るもう一つの近道思考は、見栄えのよさに由来する。私たちの多くは、将来の展望を占うのに、その企業が過去に示した特性を大いに頼りにする。ことに優良企業の株は優良株だと思いがちだ。その企業が堅実な企業であるというだけで、投資のリスクもそれだけ少ないだろうと判断する。投資家はしばしば錯覚を起こし、優良企業は投資の対象としても優良であると思いこむ。優良企業とは、役に立つ優秀なものを生産し、売り上げを伸ばし、経営の仕方も優れた企業である。一方いい銘柄とは、価格がほかの銘柄より上昇する銘柄なのだ。この二つがつねに同じものであるとはかぎらない。しかし私たちがしばしば罠にはまってしまうのは、近未来は近過去を見ればわかると、しっかり思いこんでいるからなのだ。

これに加えて、過去に成功した銘柄は将来のリスクも低いと考えることが少なくない。アメリカの有力誌「フォーチュン」による調査では、経営の質と財政状況の善し悪し、財政状態の健全さとその企業の銘柄の信頼性のあいだに、人びとがいかに深い関係を認めているかが明らかになっている。要するに、過去の成果を見て、その銘柄はリスクが少ないと判断する。利益の予想を立てるのに、過去のデータを無邪気に利用するわけだ。その利益が市場全体の動向（その銘柄が示すベータ係数の変動）とどんな関係があるかなど、ほとんど眼中にないのである。

将来の動向を近過去から推測するというのは、なかなか抜けない癖である。ハーシュ・シェフリン（金融行動研究の創始者の一人）がこれについての実験的研究をしている。対象にしたのは二つの会社、デル社とユニシス社で、デル社は成功を収め（前会計年度で売り上げを四七％伸ばし、最近三年間の利益伸び率は二倍になった）、ユニシス社は後退している（工場の稼働率が七〇％減少した）。質問された人たちは、リスクは正しくつかんでいた（損失を出した企業は利益を上げた企業より危険だと考えた）が、一方で、過去に成功した企業（デル社）はこれからも成功を続け、過去に損失を出した企業（ユニシス社）はこれからも損失を出し続けるだろうと判断したのだ。より確実な銘柄は利益も上昇するはずだと踏んだわけである。しかし実際の結果はこれとは逆で、ユニシス社のほうがデル社にくらべて五四％も利益を伸ばしたのである。

このような効果は「勝者・敗者効果」と名づけられ、投資家が最近のパフォーマンスに過敏に反応する現象をさすようになった。つまり、投資家はいわゆる過去の敗者株は過度に悲観的な目で見、過去の勝者株は過度に楽観的な目で見るということなのだ。

なじみの企業に投資したがる悪い癖

イタリアには何千という銘柄があり、ヨーロッパには何万の、アメリカや日本や世界中にはその何倍もの銘柄がある。私たちはそのなかからどのようにして選んでいるのだろうか。それぞれの投資のリターンとリスクの分析や、ほかの銘柄との比較を正しくおこなっているのだろうか。

アメリカの市場は世界の証券市場の約四七％を占め、日本は二六％を、イギリスは一三％を占めている。「現代ポートフォリオ理論」は、このような状況をふまえて、株への投資を多様化するほうがいいと説いている。しかし私たちは、このような状況をうまく利用しているだろうか。アメリカ人の投資先は九三%がアメリカの銘柄である。日本人では九八%が日本の銘柄だし、イギリス人では八二%がイギリスの銘柄なのだ。

それだけではない。コカコーラの本社はジョージア州のアトランタにある。コカコーラという多国籍企業の株の一六%をだれが保有しているかご存じだろうか。アトランタ州の人びとなのだ。イタリアのフードグループであるパルマラットの債券の持ち主も、大方がイタリアのエミリア州の人たちである。そんなわけだから、多くの人が自社の株を買っていると言って不思議ではない。

手短に言えば、人びとは自分のお金をいちばんなじみの会社に投資するというわけだ。よく知っているつもりの会社は身近な会社で、どういうわけかその会社が、いちばん信頼できる会社だということになってしまう。

しかし、「身近である」「親しみを感じる」「信頼できる」などということは、その銘柄のリスクとリターンの関係にはいっさい関わりがない。ましてや「ポートフォリオ理論」がいみじくも勧める投資の多様化とはなおさら相容れない。観念的な理由から「なじみの」会社を選ぶことはあっても、それが私たちの財布を傷めるかもしれないことは、自覚しておいたほうがいい。しかしなじみの会社に的をしぼろうとするのは、寛大さや親しみやすさのためではない。

「郷土愛」といった気持に投資が支配されやすく、それがエラーのもとになっているのだ。郷土愛は、合理的投資を助けるより、投資についての間違った理解を植えつける危険がはるかに大きいのである。

「なじみの感覚」は、私たちがはまりやすい近道の典型的な例である。さまざまな銘柄を考慮しなければならないときに、じつに単純な一つだけを選んでしまい、それがほかのすべてを代表してしまう。しかしこの近道を行くと、かならずと言っていいほど間違ったゴールに行き着く。ほかとくらべることをしないから、いま負っているリスクを実際のリスクより少ないと錯覚しやすいためなのだ。

投資の仕方が合理的でないためにリスクを招く例なら、ほかにもまだたくさんある。次の例を見てみよう。

事情に明るいほどうまい投資ができるという錯覚

お金を持っているということは望ましいことにはちがいない。しかしいったん持ってしまうと、不安や心配といったやっかいな感情が生まれやすい。投資は実際なまやさしいことではない。市場を知り、多くの情報を集め、さまざまなファクターを考え合わせて、選択をしなければばならない。それだけでなく、自分自身をよく知り、自分の認知の仕方、「陥りやすい罠」なども知っておかなければならないのだ。

奇妙なことに、銘柄の選択にまつわる不安から逃れるために、私たちの頭は心理的な自己防衛の仕掛けを考えだす。仕掛けというのは、自分の予測能力を過大に見積もって、状況がコントロールできるつもりになることだ（「**自信過剰**」という）。しかしこれは病気をさらに悪化させる治療法のようなもので、私たちをさらに非合理な存在にしてしまう。どういうことかを理解するために、次の簡単なテストをしてみよう。

自信過剰

overconfidence　自己の能力や知識を過信すること。悪い事態が起きる確率を過小評価し（「過度の楽観主義」という）、いま目の前に起こっていることがコントロール可能だと思い、成功の確率を主観的に高く評価する（「支配の錯覚」ないしは「マジカル・シンキング」という）。また、いくつもの可能性を残しているにもかかわらず（「狭すぎる予想範囲」という）、そのまま突き進んでしまう。そこへ追加的な情報が与えられても、自分の予測を補完するものだと確信を強めてしまい（「知識の錯覚」という。ヒューリスティクスの「代表性」「利用可能性」「アンカリング効果」を想起せよ）、予測の範囲がそれほど広がらない。たとえば、投資家の心理として、情報の正確性を誤認し、過度の取引をしてしまう（予測が外れるのは数%と判断しても、実際は20—30%外れていることは多々ある）。また、「後知恵」的解釈の原因でもある。

問43
あなたは、それぞれいくら賭けますか。
A コインを投げる前に、表か裏に、いくら賭けますか。
B コインはもう投げられたけれど、表と裏、どちらが出たかはわからない。どちらかにいくら賭けますか。（もちろん、では当たったらいくらもらえるというのがなければ賭けとしては成立しないでしょうが、心理テストとして試してください）。

じつは、それぞれいくら賭けるか訊いてみると、前者（A）より後者（B）のほうが、賭ける金額が少なくなる。まるであることがもう起こってしまったら確率が変わるとでも言いたいようだ。言いかえれば、まだ事が終わっていないうちは、その事象（コイン投げの結果）も、ときには偶然までも、なんらかのやり方（まじないや精神力の集中など）で操作できると考えているかのようだ。たとえば、さいころを投げるときには、大きい数を出したいから力いっぱい投げるとか、あるいは「1」か「2」を出したいからそれなりの心づもりで投げるとか……。

投資はさいころやコインを投げることとは違うけれど、状況を操作できるつもりになるなど、似たような仕掛けに引っかかることはまれではない。

たとえば、ある仕事に慣れていれば、よりよい仕上げができると思いこむ。市場なら、多くの情報に通じていれば、選択もうまくできると思いこむ。しかし情報のほとんどは、いいかげんだったり、古かったり、信頼できないものだったりする。なぜなら、情報は確実な手がかりであるより、風評であることが多いからだ。情報が操作できるという錯覚を持つと、重要でもない情報を重要視し、それに対して過剰な反応をしたり、過度な行動に出てしまったりする。実際私たちは、ある仕事に精通していればいるほど、それをよくこなせると思いがちだ。しかしその思いが度を超すと、たとえばコインを投げるのが自分なら、勝算もその分だけふやせると考えるまでになる。次に見るように、デイ・トレーダーは「過剰反応」と「過剰行動」の両方にはまりやすい。自分の「ポートフォリオ」（債権・株券の全体）の管理がまずい人のよい例である。

売買がはげしいと損をする

カリフォルニア大学の二人の金融経済学者ブラッド・バーバーとテランス・オディーンは、長年にわたって何千人という投資家の調査をおこなった結果、「株の売り買いがはげしい人ほど成績が悪い」、という結論に達した。くわしく言えば、六〇〇〇家族についての五年間の調査で、次のような結果が出た。毎年、ポートフォリオの回転率が二五〇％以上である二〇％の家族、すなわち売買がもっともひんぱんなグループは、あらゆる家族のなかで成績がもっとも悪かった。回転率がもっと低いグループより、平均して七%もリターンが少なかった。これは銘柄の選び方が悪いのではなく、売買のたびに支払う手数料のためなのだ。

売買を平均以上にひんぱんにするのはどんな人だろうか。いうまでもなく、自分の投資能力を平均以上と考え、持っている情報を駆使すればいい成績が出せると思っている人だ。そういう人はどういうわけか女性より男性に多い。シングルの男性は年平均八三%の回転率で自分のポートフォリオを動かし、既婚男性は七三%、シングルの女性は五三%、既婚女性は五一%の回転率で動かしている。

バーバーとオディーンは近年、インターネットを使って彼らの見解の適不適を調べてみた。オンライン・トレーディングは近年急速に伸びている。電子取引は、売買するために電話をしたり、窓口へ行ったり、ファイナンシャル・プランナーを訪ねたりすることより経済的だ。競争によって、操作の手数料は七五%以上も低下している。これは一人でやろうとする人にとってはじつに都合がいい。売買がより早く効率的で簡単になっただけでなく、経済的にもなったということなのだ。しかしだからと言って、そのために投資家の多くが前よりリッチになったわけではなくて、むしろ反対である。長期計画を立て、表を見ながら株を売り買いしている人が、経済的手段を手に入れたことは間違いない。しかしオンライン取引は日常的にできる戦略ではない。一日中パソコンの前に座って、市場に打撃を与えるほどの売買を日々しようと思ったら、倹約家の個人投資家は、極端な場合、自分の仕事を放りだして、デイ・トレーディングに専念してしまう恐れもある（しかし幸いこうした人は全体の一％にすぎない）。

バーバーとオディーンは、電話や証券会社を通しての取引からオンライン取引に移行した一六〇〇人の投資家の行動を調査した。彼らの売買はオンラインに移る前からすでに活発で、ポートフォリオの平均回転率は七〇％だった。しかしインターネットによって市場がさらに近くなると、年間一二〇％にまで急上昇したのだ。しかしだからと言って、利益も伸びたわけではなかった。オンライン取引をはじめる前は、手数料や税金を差し引いた額が目標額をいくらか上まわっていたのが、オンラインに移ってからはおよそ三・五％下まわった。インターネットによって、慢心と操作能力への過信が生まれ、「慢心＋取引＝利益の減少」という図式になってしまったのである。

インターネット取引は、きわめて敏速に、効果的かつ簡単に、安価で膨大な情報にリアルタイムでアクセスするのを可能にした。情報には、過去の実績（価格の変動）、取引、テクニックの分析、価格、売り買いの総量、ニュース、さまざまな合意、助言、公開討論会などがある。あふれるほどのデータやコメントや助言が、操作能力や知識への過信（「知識の錯覚」という）をさらに助長してしまう。そのために、安い値段で株を売る投資家（新たな情報に乗って過度の取引をする人）が出る一方で、ほかの情報やそのさまざまな解釈をもとにして、その株を買う投資家も出てくるのである。

イタリアのある証券会社は、オンライン取引の宣伝文句として、「あなたは力をつけた」というのを使った。これはいうまでもなく、「支配の錯覚」を利用したものである。

この種の問題のもっとも合理的な解決法は、お金の管理を専門家にまかせることだ。しかし専門家もまた、予想屋がはまるのと同じ罠にはまる場合がある。このことを示す好例が、ノーベル経済学賞の受賞者たちを巻きこんだあるケースである。彼らは超高額のファンドを立ちあげるために集められたが、自分の能力と知識を過信したために、破滅的結果を招いてしまった。この事件は有名になり、あらゆるメディアに報道された。

それはかの名高い巨大ヘッジファンドＬＴＣＭの一件で、これのために、金融のプロ中のプロであるサロモン・ブラザーズとその仲間たち、アメリカ中央銀行の副議長、ノーベル賞受賞者のマイロン・ショールズとロバート・マートン、そのほかの優れた研究者が呼び集められた。一九九四年に生まれたこのファンドは、デリバティブなどを駆使して天文学的数字のリターンを出していた。しかし年月とともにこの種のチャンスは減少したのに、取引の金額はますます増えていき、そのために借り入れの額も増加した。一九九八年にはロシア通貨の下落のために、たったの四週間でおもな市場の株価がとつぜん暴落するなど、予想外の事態が次々と発生し、それが世界中の株や債券の市場に波及した。

この驚くべきプロ集団は、一ヶ月のうちにファンド資産の九〇％を失わせ、金融システム全体を崩壊させないために介入せざるを得なかったアメリカ中央銀行をも圧迫した。しかしリスクをそんなに過小評価することが、いったいどうしてできたのであろうか。
いうまでもなく、これほど多くの大変な事態がいっぺんに発生するとは想像もしていなかったのだ。もしこの集団のなかに、市場の動向だけでなく私たちの認知メカニズム（心理的バイアス）も考慮に入れることのできる、金融行動の研究家が加わっていたら、このプロ中のプロたちも、自分の知識を過信するという誤りを避けることができただろう。

教訓

❶ 投資家の心理として、株を購入するときには「この金額にまで上がったら売りに出そう」という目安をつけているものだ（「アンカリング効果」といえよう）。ところが、なかなかその金額まで上がらないどころか、かえって下がってしまった。あるいは、すぐに達成してしまったので、もう少し上がったところで売ろうと考え直し、目標値を再設定する。しかし、それからがなかなか上がらない。さて、どうしたものか。未来の事象に対し、主観的には「リスクを小さく」「儲けは大きく」見積もりがちである（「自信過剰」から）。

❷ 行動ファイナンスを「心理的バイアス」の立場から眺めた。とりわけ、主観的な「自信過

剰」と「支配の錯覚」、「知識の錯覚」が自分の首を絞めることがある。プロ中のプロも失敗するのだから、「勝利の方程式」はないといってよい。

❸ でも、リスクを減らすことはできそうである。「熱くならず冷静に」、そして損失が出たとしても「覆水盆に返らず」、取り戻そうとしてさらに「熱くつぎこまないこと」。

13　将来を読む

読みを誤る

私たちを誤った方向に導くのは、困ったことに、過去の経験だけではない。未来の経験の先取りもまた、誤った判断に導くことがある。私たちはすでに知っていることだけでなく、これから知ることまで過大に評価してしまうことがあるのだ。

そんなことはありえないと思ったら、さっそく次の質問を考えてほしい。

問44（二者択一）

あなたはどちらがいいか、選んでください。

A　痛いほど冷たい水に六〇秒のあいだ手を浸している。

B　痛いほど冷たい水に合計で九〇秒のあいだ手を浸している。はじめの六〇秒間の温度は変わらないが、次の三〇秒間は温度が少し上がり、痛いほど冷たいのは同じでも、いくらかは和らげられる。

この場合はAを選ぶのがどこから見ても妥当であろう。不愉快な経験がとにかく三〇秒は短いわけだから。

ある不愉快な経験より、その経験にさらに不愉快さを加える経験のほうがいいとは、もちろんだれも考えないだろう。

しかし冷たい水に関して言えることが、熱いお湯にも通じるとはかならずしも言えない。

ダニエル・カーネマンはある実験で、参加者にお金を払って、このAとBの両方の経験をしてもらった。それから彼らに、この二つのうちどちらならもう一度してもいいかと訊いた。すると驚いたことに、八〇%以上の人が、より時間が長い、Bのほうを選んだのだ。いったいどういうわけなのだろうか。

喜びや苦しみの経験をじかにした後では、喜びや苦しみをもたらすものを、しっかりとらえることができる。しかし、それを予想する段階では、必ずしも現実に見あった認識は得られないようだ。ことに、将来の経験を先取りしようとするときには、苦しみが少ないほうを選ぶ傾向がはっきりしている。ところが実際にAとBの経験をしてみると、客観的に見れば余計に苦しいはずなのに、よりよい記憶が残るBのほうを選んでいる。

周知のように、私たちの記憶はものごとの平板で公平な寄せ集めではなく、それにともなう感情が複雑にからんだものだ。だからある経験を評価するときには、その経験の全体的な継続時間などはなおざりにされ、苦痛がもっとも強烈だったとき（出来事の絶頂期《ピーク》）と最後の時間（出来事の終末期《エンド》）によって判断されるということがしばしば起こる。いわゆる「**ピーク・エンドの法則**」が働くのである。

手短に言えば、その経験をする前は苦痛の少ないほうを選び、経験が終わったあとでは、たとえ長くてもよりよい記憶を残しているほうを選ぶのだ。

ピーク・エンドの法則

peak-end rule　ダニエル・カーネマンが1999年に発表した、あらゆる経験の快苦の記憶は、ほぼ完全にピーク時と終了時の快苦の度合いで決まるという法則である。経験の記憶は主観によって変えられ、その出来事の時間の長さには関係がない、という特徴がある。医療のみならず、さまざまな経験にもあてはまると見られている。

前と後で判断が異なる

ここまではまだうなずけなくて、「ピーク・エンドの法則」が納得できないだろうか。カーネマンはトロントの臨床医ドナルド・レーデルメイヤー（彼は近年、医学の分野における「回避できる認知の誤り」を専門的に研究するようになった）といっしょに、一連の実験をおこなった。次はその一例である。

あなたは虫歯が一本あるために、歯医者の居心地の悪い椅子に座っているとする。医者はすでにドリルを手に持っているから、あなたはこれから何をされるかわかっている。最初の調査の際、レーデルメイヤーとカーネマンは、そんな状態にある複数の患者に、治療のあいだ六〇秒ごとに、苦痛と不快を「0」（苦痛なし）から「10」（極端な苦痛）までの段階で測るようにと言った。それから同じ患者に、実験が終わったあとで、感じた不快感を全体として評価する（ここでも「0」から「10」までの段階で）ように求めた。

このグラフの横軸は時間を、縦軸は痛みの強さを表している。ここからわかるように、患者Bは治療中は患者Aより全体的に痛みが強かった。（それぞれが感じた）全体的な痛みは色づけされた部分で表されている。この部分は痛みの経験が長引くほど広くなり、毎分感じられる苦痛が大きい（折れ線が平均して高い）ほど高くなる。

レーデルメイヤーとカーネマンの調査から、治療が終わった後でその経験を判断するときに

図7

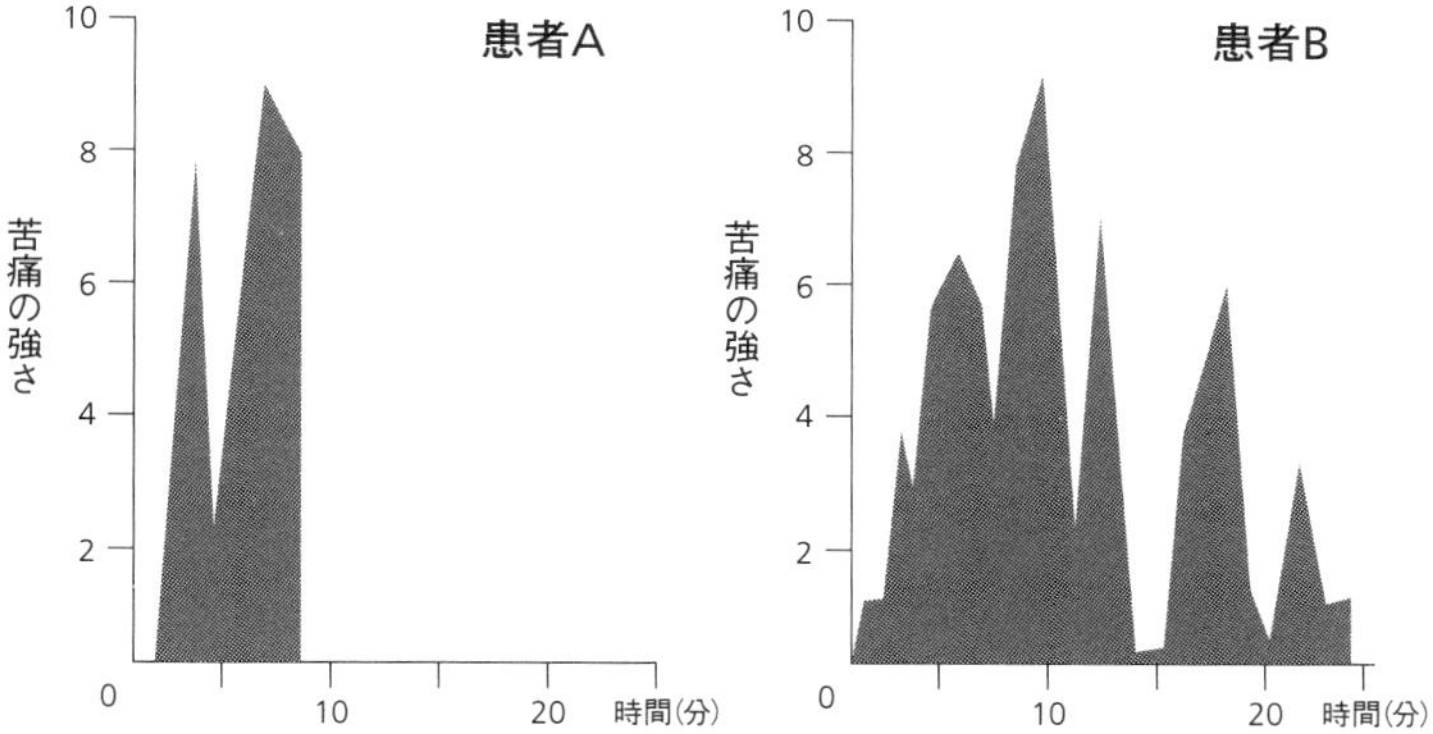

は、患者はその経験の全体としての継続時間は意に介しないことが判明した。治療の継続時間は四分から一時間以上とばらつきがあったが、そのことは、その治療がどれほど不愉快なものであったかの患者の判断には、ほとんど影響しなかった。一方で、患者が治療後に出した全体的な判断は、治療のあいだに感じた苦痛の強さ（絶頂時）と最後に感じた苦痛の強さ（終末時）に、明らかに関連していたのである。

この例では、絶頂期と終末期の平均は、患者Ａより患者Ｂのほうが小さい（両者の絶頂時はほとんど変わらないが、Ａの治療はかなりの苦痛を伴って終わった）。このことから、（客観的に見れば）患者Ｂのほうが痛みはひどかったのに、治療がいやだという記憶はそれほど強くないと思われる。

データから出たこの予想は、あらゆる医者を当惑させるかもしれない。医者たちはいま、「インフォームド・コンセント」を通して、患者が自主的にする判断を尊重しようとしている。しかしその患者の判断とはどういうものだろうか。患者が治療の前に出す判断だろうか。それとも治療のあとで出す判断だろうか。

いうまでもなくこのパラドックスは、人生において、多少なりとも苦痛をともなうほかの状況にもあてはまる。ずっと悪天候だった休暇の、最後の三日がすばらしい天気に変わるとか、結婚が破れた苦痛が、離婚の際のいがみあいやぶつかりあいのために和らぐとか。けれどもこういうことは、「感情の経済学」とどんな関係があるのだろうか。

株の売買が、最悪とはいわないまでもうまくいっていないから、自分のファイナンシャル・プランナーを訪ねるというのは、歯医者で歯を抜くのと同じように苦しい（だけでなくお金もかかる）経験である。自分の経験を頭に描いて先取りするという点では、投資家も患者と変わらず、過去の経験――たとえば多数あるなかのある銘柄の変動――の把握の仕方が、将来の選択に大きな影響を及ぼしてくる。その例を見てみよう。

あなたは一年前に、バイオテク社とドットコム社の二つの会社の株を、どちらも一株二〇〇〇円で同じだけ買っていたとする。一年のうちにドットコム社のほうは下落して、とうとう一五〇〇円になってしまった。バイオテク社のほうはずっと二〇〇〇円を保っていたが、最後の数日で一六〇〇円にまで急落した。一年が経過した時点では、バイオテク社のほうがドットコム社よりいいのは明らかだが、株価の落ち方を見ていたあなたの気持はこれとはかなり違っていた。前者は長いあいだに下落していったが、後者は最後に電撃的に下落した。これを見てあなたは、客観的に見れば損失の大きい銘柄のほうに、次の年は投資しようという気になるかもしれない。

うれしいほうの体験もこれと変わらない。たとえばドットコム社の銘柄が翌年順調に伸びて二五〇〇円にまでなったとする。一方でバイオテク社の銘柄は、何ヶ月も動かなかったのに最後の数日で二四〇〇円にまで急上昇したとする。この後者の結果に有頂天になったあなたは、客観的に見れば成績は悪かったのに、その翌年はそっちの株を買ってしまうかもしれない。

さてここで、歯医者の椅子に腰かけたときの苦痛の経過と、株価の動向にともなう苦痛の経過とをくらべてみることにしよう。あることがまだ起こっていないときと、起こってしまった後とで、投資の際の選択に変化はあるだろうか。

教訓

❶仕事で相手と折衝するときに、メインの話をどのように相手に切り出し、話の展開をどうもっていくかは、だれもが前もって準備していくことだろう。しかしさらに重要なことは、

最後の締めである。「本日は、お時間をとっていただき、ありがとうございました」の一言が言えるかどうかで印象はがらりと変わる。すべからく、友人や恋人との付き合いでも同じことである。「恋人との楽しかった時間は、あとで思い返せば一瞬の出来事のようだった」。しかし「終わりよければすべてよし」を忘れずに。別れ際の一言、あるいはキスが重要である。これも「ピーク・エンドの法則」である。

パート3 判断するのは感情か理性か

14 人が相手の損得ゲーム

対立作戦ゲーム

これまでは個人の選択について見てきた。今度は、他人のあいだに置かれたときに、私たちがいったいどんな行動をとるかを見てみよう。ほかの人たちも、私たちと同じく選択をする人たちで、これも私たちと同じく、しばしば自分から感情の罠にはまろうとする人たちだ。敵味方のいるグラウンドでは、どちらの選択も、相手との取引を考えながらのものになる。ライバルの行動を考慮に入れてその動きを読むことができなければ、合理的な判断もむずかしくなる。

こういう戦略的な行動に関する研究に、いわゆる「**ゲーム理論**」というのがある。この理論からすれば、相手の行動への予想が私たちの選択を左右する活動は、どんなものでもゲームになる。ここでもサッカーを例にとり、手はじめとして、オスバルド・ソリアノの優れた短編小説『世界一長いペナルティーキック』を考えてみよう。

エル・ガト・ディアスは、逆転につぐ逆転劇で選手権試合の最終戦にまでこぎ着けたチームのゴールキーパーである。レフェリーのエルミニオ・シルバが、ホームのチームに有利な、あろうはずのないペナルティーキックの笛を吹いた後、両チームの入り乱れた乱闘騒ぎになって、あと数秒というところで試合が中断された。

次の火曜日に開かれたサッカー連盟の審判会議の結果、ペナルティーキックからスタートして二〇秒間、試合を続けることになった。ストライカーのコンスタンテ・ガウナ

ゲーム理論

Theory of game 利害対立をふくむ複数主体の行動原理をゲームの形で一般化した理論。フォン・ノイマンが、頭の中でチェスをしているときに着想し、モルゲンシュタインとともに経済行動の分析に使ったのが始まり。ゼルテン、ナッシュ、ジョン・メイナード＝スミスらによって発展。経済・経営、政治・軍事、そして行動生態学（進化的安定戦略：ＥＳＳ）の分野などで使われる。単一の理論というより各分野での行動分析のためのアプローチの総称。合理的かつ合目的的存在であることを仮定、ゲームの帰結を探り、最適の戦略を探る。「タカ派・ハト派」の戦略、囚人ゲームなど。

とゴールキーパーのエル・ガト・ディアスとの一騎打ちは、次の日曜日に同じグラウンドで、観客なしにおこなわれる。かくしてそのペナルティーキックは一週間持ち越されることになり、だれも「ノー」と言わなければ、歴史上もっとも長いペナルティーキックになった。

クラブに集まって、みんなはトランプをやり出した。白くて剛い毛をオールバックにしていたディアスは、その夜は口を利かなかったが、食事を終えるとようじをくわえながら言った。「コンスタンテは右をねらう」

「いつもの通りだな」とチームの社長が言った。

「しかし奴はおれが知ってることを知っている」

「そりゃ困ったな」

「ああ、でもおれはあいつが知ってることを知ってる」とエル・ガト。

「それならすぐに右に飛びこめ」テーブルに向かっていた一人が言った。

「だめだ。あいつはあいつが知ってるとおれが知ってることを知っている」エル・ガト・ディアスはそう言うと立ちあがって寝に行った。

「エル・ガトって男はじつにおかしな奴だよ」とチームの社長が、エル・ガトが何か考える風にのろのろと歩きながら出ていくのを見ながら言った。

エル・ガトとコンスタンテが「非協力ゲーム」をしていることは明らかだ。二人とも、ライバルと協力して相手を負かす解決法を練っているのではない。一方が勝てば必ず相手は負けるのだ。

ペナルティーキックのゲームには（サッカーに限らず同じような図式を生みだすどんなものにも）おもしろい一面がある。どちらの選手にも、いつも同じ作戦をとればうまくいく、といったバランスがないのだ。エル・ガトは、コンスタンテが蹴りこむ方向がまったくわからず、偶然でしかないようなプレーをしなければならない。同じことはコンスタンテにも言えて、彼もエル・ガトに一瞬も選択の余地を与えることができない。言いかえれば、どちらの選手も、最後の瞬間に想像上のコインを投げて運に賭けるようなことしかできないのである。

けれども、まったく偶然でしかないようなプレーをすることは生やさしいことではない。ことにゴールが目の前で、前にはボールとゴールキーパーしか見えず、周囲の空気が鉛のように重いときにはなおさらだ。

コンスタンテ・ガウナが近づいてボールをおいた。［…］そのペナルティーキックは何度もやった——とのちに語った——、これからも、寝ても起きても、いつでも何度もやることだろうと。［…］

ディアスが一歩前へ出て右に飛んだ。ボールは回転しながらゴールの真ん中へ飛んでいったから、ガト・ディアスがそれを横にはずすだろうと、コンスタンテ・ガウナはとっさに思った。ディアスはその夜のダンスパーティーのこと、まもなく訪れる栄光、だれかが飛んできて地面にころがっているボールをコーナーに置くときのこと、なんかを考えていた。[…]はじめにミラベリが飛びだしてボールをネットにぶつけて外に出したが、レフェリーにはそれが見えなかった。彼はてんかんの発作でのたうっていたのだ。[…]発作に動転した彼が起きあがったとき、[…]まずはじめに「何が起こったのか」を知りたがった。みんながそれを教えると、それならやり直しだと、首を振りながら言った。彼はそこにいなかったのだし、レフェリーが失神していたら試合はできないと規則にもあるからだと。[…]シュートは左に行き、エル・ガト・ディアスはそれまでになくエレガントに的確に同じ方向に飛びこんだ。コンスタンテ・ガウナは天を仰ぎながら泣きだした。

ペナルティーキックがうまくいかなかった例なら、ソリアノのほかの小説にも出てくる。革命的なマルクス・レーニン主義者たちから成る南米チームのセンターフォワードは、ライバルチームのゴールキーパーが彼の政治的信条を知っていることを知っていた。「私は私が知っていることを彼が知っていると知っている」式の思考がはじまり、しまいに彼は自分の好みを裏切ることができずに左に蹴った。ゴールキーパーもまさにそっちの方向に跳んだが、それこそみごとな選択だった。しかしセンターフォワードは、ゴールキーパーが選択などする間もなくそっちに飛んだことを知らなかった。

協同作戦ゲーム

さてここでゲームを変えよう。あなたの目の前には一〇個の数字が並んだ紙があって、そこには一桁の数字で、「０」から「９」までの数が書かれ、順番に並んでいる。隣室ではゲームの相手が同じ紙を前にしている。どちらも紙に書かれた数字を一つ選ぶ。もし二人とも同じ数字を選んだら一〇ドルもらえる。違う数字を選んだら何ももらえない。このゲームは理論的にはむずかしいが、実際にはやさしい。偶然に選ぶとして、同じ数を選ぶ確率はきわめて低い。それなのに多くの人が「０」の数を選んで一〇ドルをせしめるのだ。

今度は次の状況を考えてみよう。あなたは明日、たとえばミラノで秘密機関のメンバーにどうしても会う必要がある。時間と場所について前もって決めておくことはできない。しかし出会ったときにはおたがいがわかるようになっている。ではいつどこで会うことにするか。大多数が選ぶのが、正午に大聖堂の広場で、である。

この種の「協同作戦ゲーム」なら毎日の暮らしのなかにいくらでもある。電話の途中で回線が切れたら、こっちと相手とどっちがかけ直すか。ミッドフィルダーはセンターフォワードの左右どちらにボールを蹴るか。これはもちろん、センターフォワードがどっちの方向に飛びだすかにかかっている。しかしセンターフォワードも同じ問題に直面する。右に飛びだすほうがいいのは、ミッドフィルダーがそっちの方向にボールを蹴る場合だけである。

　というわけで、ゲーム理論は、コインを投げるときのような偶然の動きに注目する。二〇〇五年にノーベル経済学賞を受けたアメリカの哲学者トーマス・シェリングがはじめて注目したのは、多くの状況において、ものごとを調整する問題は、目立たないが選択には大きくものを言う事柄に目を向けることによって解決される、ということだった。数字合わせゲームでは、ほとんどの人が、「変わった数字だ」という理由で「0」を選ぶ（「0」は最初にあるだけでなく、見るからに特殊な数である）。「0」はきわだった選択肢で、ほかから突出しており、他人との協同の問題を、「非合理」だが賢明なやり方で解くカギになるのだ。

　数の問題で「0」（あるいは正午に大聖堂広場で会うこと）を選ぶのが賢明なのは、ある条件のもとにおいてだけである。つまり、それがいちばんいいことを私が知っている、それがいちばんいいことを相手が知っている、私は相手がそれがいちばんいいことを知っていることを知っている、それがいちばんいいことを相手が知っていることを私が知っていることを相手が知っている…と無限に続く場合にかぎるのだ。要するに、「0」が特別の選択肢であることが共通の認識になっているときだけなのである。

見たところ解決不可能でも、くり返されると（あるいはきわだった解決法が連続したことがもとになって）簡単になる問題は少なくない。習慣はその典型的な例である。葬式に黒い服を着ることに特別な理由は何もない（たとえば中国では葬式には白服を着る）。しかし共通の気持を表現するには、全員が同じ色を選ぶことが肝心なのだ。この場合の突出した特徴は伝統に由来する。ずっとむかしに、どんな理由でか、その色の服を着るようになった。私たちは今日、さまざまな色のなかで、この色がいままで用いられてきたというただそれだけの理由で、みんなに選ばれることを知っている。

ノーベル経済学賞をシェリングと共に受賞したイスラエルのロバート・オーマンは、くり返しのゲームにおける協同作戦の考察をさらに深め、市民がともに生きるために不可欠な、協同の問題に取り組んだ。

どうしてパン屋は私が毎日パン代を払わずに、月末に払えばいいと言うのだろうか。どうして私は学生たちに日ごろから本を貸し、彼らはそれを古本屋に売ったりしないで、何週間かあとに返してくれるのだろうか。これが無限にくり返されるゲームである。このゲームの数多くの解決法のなかには、そのゲームが一回しかおこなわれない場合には不可能な、バランスのとれた協同作業がある（もし私が相手にふたたび会わないのなら、相手の信頼に応えるかわりに、それを利用してしまうかもしれない）。しかしくり返しのないゲームにもバランスはある。それに、二度と会わないことを知っている者どうしにも、次に見るように、信頼は存在する。

こうした属性は、ゲーム理論の大胆で創造的な一面を形づくるとともに、具体的な問題や私たちの日々の選択にも、解決の手がかりを与えてくれる。

理論と実際の違い

ゲーム理論も多くの従来の経済学理論にならって、人を冷静で合理的な存在であると考える誤りを長年犯してきたのである。それどころか、この理論の立役者である天才的な数学者ジョン・フォン・ノイマンとジョン・ナッシュ並みの超人的な知能を人は持っていると考えてきたのだ。

人びとが戦略的な行動をとる際（たとえばチェスをしたり取引をしたりといった）に、最大限の利益を引きだそうとするやり方を、ゲーム理論は数学の方程式のように図式化して表現する。これはこの理論の大きな強みであると同時に、弱みでもある。「強み」は何かといえば、かなり異なった状況（求愛行動から冷戦まで）で展開されるゲームを対象にできることと、結果の予測が正確であることだ。「弱み」のほうは、問題の状況を定型化してしまい、ゲームに参加する人の頭を単純化してしまうことである。頭脳を過度に合理的な存在としてとらえ、非合理的な因子（たとえば道徳感や感情）などは無視して、どんなに複雑な数学的問題もたちまち解決できるかのように考えてしまうのだ。ゲーム理論とその限界を身近に感じるために、二人でおこなう次のゲームをためしてみよう。実験経済学者のあいだでダントツの人気を誇る「最後通牒ゲーム」である。

ゲーム1

あなたはプレーヤーAだとする。あなたに一〇〇ドルが与えられる。これを未知のプレーヤーBと分けあわなければならない。あなたがBにお金を渡すのだ。ゲームのルールとおかれた立場はどちらも知っていて、Bはお金を受けとる立場だが、この際、受けとりたければ受けとれるが、拒否することもできる。Bが受けとりを拒否した場合は、プレーヤーAも最初の金を没収される。

さていくら渡しますか？

たとえばBに一ドル渡すことにしたとする。「相手は受けとるだろう。一ドルだって何もないよりはましだ」。でもあなたはふと心配になる。「拒否されたらどうしよう。ばかにしてると思われないだろうか」。なにしろたったの一ドルなのだ。

あなたは困った末に友だちの経済学者を訪ねる。彼はゲーム理論の達人としてだれもが知っているノーベル賞受賞者である――そしてつい最近、彼についての映画までが主演ラッセル・

クロウで制作されてヒットした（『ビューティフル・マインド』）。彼（ジョン・ナッシェ）は言う。プレーヤーAであるあなたは、理論上はゼロに近い金額を与えればいい。プレーヤーBはどんなに少ない金額でも受けとるだろう。

でもあなたは納得できない。理論的にはどうすればいいかはわかった。しかし実際にどうしたらいいかはわからない（「もし拒否されたら？」）。

そこであなたは友人の心理学者を訪ねることにする。彼もノーベル賞をもらっていて、不確実な状況における決定についての実験で有名である。彼はていねいに説明してくれる。経済学者は現実世界には疎すぎる、提供者（プレーヤーA）の行動も受益者（プレーヤーB）の行動もどちらも理論上の行動とは相容れないことは、八〇年代の最初の実験のときからすでにわかっているのだと。

受益者（B）の行動は容易に説明できる。Bが好ましい金額の提供を拒否したとすれば、Bは「効用についての判断」のなかにお金ではないものを入りこませている、つまり、「からかわれた」と思っているのだ。Bはただの一ドルももらいたいとは思わないし、それどころか、当然とは思えない申し出をしてプライドを傷つけた相手を懲らしめてやりたいと思っている。

一方で、プレーヤーAが（ほぼ）等分しようとした場合、その行動には二つの理由が考えられる。プレーヤーAは強い公平感を持った人で、隣人には誠実でありたいと思っている。あるいはただたんに、拒否されたら損するから、不公平な配分をして拒否された場合の損得を考えている。

この種の実験では多くの場合、五〇%以上の人が半分を与えるという結果が出ている。ゲーム理論のテクニックからすれば合理的ではないが、だいたいにおいて、これがもっともだとうなずける。データによれば、二〇%以下の金額は、拒否される場合が二〇%を超える。今日までのところこの結果は、金額や国籍や文化に関係なくつねに変わらない。

明らかな理由（財産の分与とか）で最終的に分割する総額がきわめて大きい場合には、実際に何が起こるかは知りようがない。もし分けるのが一〇〇万ドルで、そのうちの一〇万ドルを与えると言われたら、不公平な相手を懲らしめるという理由だけで、その金額をあきらめることができるだろうか。

もっぱら利他主義の効果を調査するために、この実験はとくべつ示唆に富むバージョンで何度も反復しておこなわれた。「独裁者のゲーム」として知られるこのバージョンでは、プレーヤーBはプレーヤーAの申し出を断れない。プレーヤーAは望むとおりの分割ができ、その人の分割は動かせない。したがって、Bに提供される金額は著しく下がると予想された。しかし実際の実験ではそうはならなかった。Aに当たるプレーヤーはかなり気前がよく、五〇%以上の人が等分に分けようとしたのである。

最後に考えるのは、「最後通牒のゲーム」を一回でなく何度もしたら、結果は変わってくるだろうかということである。つまり、人びとは経験の積み重ねによって、より合理的になれるか（経済的に考えることができるか）どうかということだ。しかし結果から判断するかぎり、経済的観点から何かを学んだというはっきりした兆候はまったく見られなかった。

私たちの多くは、「公平」、「誠実」、「正義」などについての明確な観念を持っていて、そのために、ときには自分の利益を第一に考えるという利己主義が薄らぐようだ。これは取引に少なからぬ影響をもたらす。「公平」とは思えない資源の配分には背を向けたいという気持が、経済生活を大きく左右するのである。たとえば専売権を持つ人が価格を決めるときには、このゲームのプレーヤーAの立場になるわけだ。そして、プレーヤーBが「ないよりまし」ぐらいの金額を拒否するように、買い手のほうは不公平と思われる価格では買わないかもしれない。だからもし専売権といううまいものを持っていても、お客をばかにはできないのだ——お客の名がたとえビル・ゲイツでもである！

諸君は知らないかもしれないが、彼は二〇〇六年の夏、サルデーニャ島のエメラルド海岸でヨットの係留をキャンセルした。たった一晩停めるだけで二万五〇〇〇ユーロもとられるとわかったからだった。億万長者のゲイツも公平感は鈍くなかった。

教訓

❶ゲーム理論で想定しているのは、標準的な経済学で想定しているホモ・エコノミクスとしての人。ところが、ゲームの中で見えてきたのは非合理的で、「公平」で「誠実」な人。なぜそうなのか。利己主義を超える利他主義の可能性は?

❷理論生物学者リチャード・ドーキンスは『利己的な遺伝子』において、「遺伝子の利己性(自己複製子としての遺伝子をたくさん残すこと)」の視点から、動物たちの自己犠牲に満ちた利他行動をみごとに説明してみせた。また、人間は「文化という名の自己複製子、ミーム」の産物でもあり、教育によって利他主義をさらに人間社会に広げうる可能性も示唆した。この本には、メイナード=スミス(タカ派対ハト派など)、アクセルロッド(協力関係など)らの「ゲーム理論」のエッセンスが詰まっている。

❸二十一世紀の世界を覆っている「紛争」の火種は、民族問題と宗教の対立、そして次第に頭を持ち上げてきたのが、またしても「大国のエゴ」である。どの場合も、しばしば「強者の論理」で押し切ろうとしているように見える。相手の気持を思いやる「世界の世論」に期待をかけるしかないのか。対立軸が明確なこうしたケースにおいて、「ゲーム理論」あるいはそれに替わる理論の登場する余地はあるのかないのか。

15　怒れるニューロン

脳が苦汁を飲むとき

先ほどのと同じゲームで、あなたがふたたびAになったとする。しかし今度のバリエーションはすこぶるおもしろい。今回もプレーヤーBにお金を提供するときには、相手の頭のなかをよくよく読まなければならない。あなたが脳や神経科学に疎いとしても、脳のある部位がどう活動するか、この種の選択をするとき相手のプレーヤーのニューロンには何が起こるか、ということなら、神経科学が解明している。

プレーヤーBの脳の働きを調べるのには、磁気共鳴画像（ＭＲＩ）が使われた。この装置は多くの病院にあって、腫瘍の診断などに使われている。しかし今回のケースではそれらより巧妙な機械が使われた。機能的磁気共鳴画像（ｆＭＲＩ）と呼ばれるもので、これは脳の構造を示すだけでなく、脳の活動まで見せてくれる。いうまでもなくこれは、脳を傷つけるような直接的なものではなく、ある認知作業にかかわる領域を、血液中の酸素の集中箇所の変化を見ながら推測するものだ。この脳イメージング技法によって、プレーヤーBの脳内ではおもに三つの部位が活発に動いていることがわかった。

そのなかの一つから見ることにしよう。それは島《とう》前部で、皮質の一領域（側頭葉と前頭葉に接する外側溝の内部にある）であり、ここは複数の本能的感覚と無意識の反応を自動的にチェックしている。それに、味覚と嗅覚の働き（ここに電気ショックを与えると吐き気がする）や、怒りや嫌悪感などの否定的な感情の表出に関係していることも知られている。次に述べる実験からわかるように、ここはモラルの感覚とも結びついているらしい。さらには、物理的不快感（悪い味や悪臭など）と、精神的不快感（「苦汁を飲む」という言い方などに代表される）によって刺激されるニューロンの部位も、ここにあると考えてよさそうである。

ここで気をつけてほしいことがある。あなたが不公平な金額を相手に伝えたしばらくあとに、この領域がはげしく活動していることがわかれば、相手が傷ついている確率が非常に高く、あなたが不誠実であることに腹を立てて、申し出を拒否するかもしれないのだ。

さて今度は前頭前野皮質の背外側部《はいがいそく》に目を移そう。多様な機能を持つこの広い領域は新皮質の前頭葉の前部にあり、脳全体にかかわるもっとも「威厳のある」進化的に新しい部位である。この部位の一部は（合理的）認知作業をおこない、差しだされたものを追い続けて、その作業を記憶させる役割を担っているらしい。この部位が先ほど述べた部位より活発に働いていれば、他人に何かを提供するときに、利己心から少ない量しか渡さなくても、相手が受けとる可能性は高い。この領域は実際「合理性の核」のようなもので、もっぱら儲けをめざして「最大の効用」を考え、受け手に受けとるようにと促すからだ。一ドルだって何もないよりはましだろうと思わせて。

最後に前頭回と呼ばれる皮質の領域を見てみよう。ここは認知の矛盾を探しだしてエラーや食い違いを見分ける作業をする。つまり一種の「管理・選別センター」で、たとえば認知上の動機と感情的な動機のあいだの矛盾など、内部の矛盾をつまみ出して解消しようとする。もしあなたが不公平なほど少ない金額しか相手に提示しなければ、相手の前頭回の働きが活発になり、つまらない金額を受けとることの本能的不快感と、純粋に経済的合理的な計算のあいだの、葛藤の調整に乗りだす。この領域の活動自体が、どれだけ提供すればいいかをあなたに教えることはないが、でも大事なことを教えてくれる。大事なこととは、あなたがケチで不当な金額を申し出れば、相手はどっちにしようかと考え、その人の脳のある部位が、「理性」(わずかだってないよりはまし)と「感情」(人をばかにしてる!)のあいだの取引をはじめるということだ。

認知と感情の動きにかかわるニューロンの興奮というおもしろいゲームをとことん理解するには、提供者があなたでなくコンピュータであるというバリエーションを考えてみるといい。受け手のほうは相手が情緒など持たないコンピュータであることを知っている。こんな場合は

図8

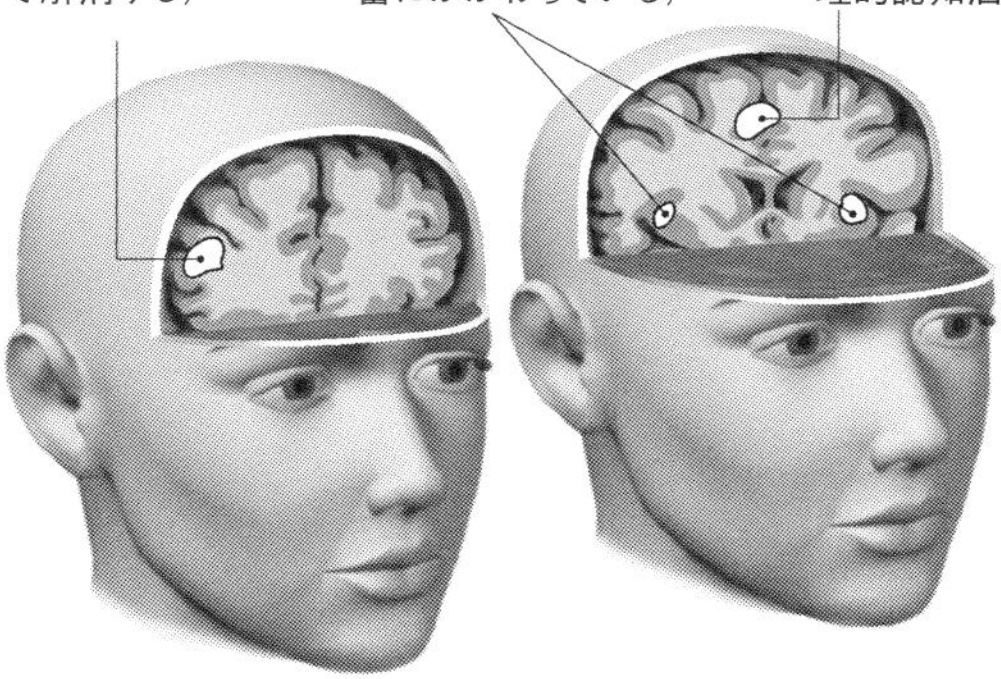
前頭回（認知と感情のあいだに起こる認知上の葛藤を見分けて解消する）
島（快・不快のような感情の無意識な興奮にかかわっている）
前頭前野背外側皮質（経済的計算のような合理的認知活動をする）

どうなるだろうか。いうまでもなく感情をコントロールする領域は活動が弱い。実際のところ、島はそれほど興奮しない。コンピュータには自分の意思がなく、公平にも不公平にもなれないことがわかっているからだ。そこで前頭前野背外側皮質が主導権を握り、コンピュータにはどんな金額でもイエスと言わせる。前頭回にも葛藤らしい葛藤はなく、不活発のままである。

ここまで来たら、「独裁者のゲーム」では受け手の頭のなかで何が起こるか予想できるだろう。このゲームでは、プレーヤーBは申し出を断れず、どんな金額でも黙って受けとるしかない。しかしあなたが独裁者だとして相手に不公平な申し出をしたら、相手は言うまでもなく苦汁を飲むし、島も不快な出来事に活発に反応するはずだ。けれどもその人の前頭前野背外側皮質と前頭回は休んでいる。解決すべき認知上の問題はないし、仲介すべき葛藤も決定すべき事柄もないからだ。するべきことはただ一つ、侮辱に耐えることだけである。

相手の頭のなかを読む

世界一長いペナルティーキックの話やいま述べた実験——ツーソンのアリゾナ大学のアラン・サンフェイによる——は、ものごとを決定する過程でとくに重要なことを浮き彫りにしている。それは相手の気持を「読む」ということだ。

これを理解するには、こうした点で深刻な欠陥を持つ、自閉症の人たちの行動を観察してみるといい。ふつうは四歳から四歳半のあいだに、子どもは他人の心の動きを読みとる力を急速に伸ばす。客観的に見れば真実ではないことでも、他人が真実だと思いたいときには、それを理解する。

たとえば四歳くらいの子どもに一目でキャラメルの箱だとわかるものを見せる。それを開ける前に、なかに何が入っているかと訊くと、その子は「キャラメル」と答える。ところが箱を開けたら鉛筆が入っていたとする。そこでその子に質問する。廊下にいてこれから部屋へ入ってこようとしている友達は、箱に何が入っていると思うだろうかと。するとその子は（私たちと同じように)「キャラメル」と答えるだろう。

ところがこの種のテスト(このタイプの小話の主人公の名を取って「ヒルとサリーのテスト」と呼ばれる)を、四歳にならない子どもや自閉症の子(何歳でも)にしてみると、奇妙なことに「鉛筆」と答える。奇妙なのはなぜかと言えば、もうひとりの子はまだ部屋に入ってきていないのだから、箱に鉛筆が入っていることなど知らないわけで、キャラメルが入っていると考えるはずだからだ。しかしこれは、幼い子どもや自閉症の子どもにとっては当たり前の話ではない。それどころか、彼らには理解しようがないのだ。他人の立場に自分を置いて考えることができないから、(中身は鉛筆であるという)客観的な真実と、客観的な誤りとのあいだの違いがつかめないからである。

「最後通牒のゲーム」を幼い子どもを対象にしておこなったときには、提供者と受取人が分けあうものをキャラメルにした。すると幼児(およそ六歳以下の子どもたち)は、もし断ったら何ももらえないことがわかって、たとえ不公平でも、どんな分け方でも受けいれた。七歳以上の子どもは大人と同じような行動をした。自閉症の子どもたちは、年齢に関係なく幼児と同じ反応を見せた。どんなに不公平でも、提供された分を受けとったのである。

自閉症の子どもたちは他人の腹が読めないために、「最後通牒のゲーム」では「ふつうの」人より合理的な行動をしている。相手にはわずかしか与えず、自分が受けとる番になったときには、ばかばかしいほどの量でも受けとっている。まさに経済学のマニュアルにある完璧な行動をしているわけである。

こうしたゲームに関係のない種々の実験でも、他人の心を読む脳の部位はもっぱら前頭前野内側皮質（正確に言えばブロードマンの区域10）にあることがわかっている。したがってこの領域に障害がある人は、他人の考えていることが理解できない。ノーベル賞を受けたヴァーノン・スミスは、長年の仕事仲間であるケヴィン・マッケーブとともに、最近この結果を、個人間の信頼と協同作業に基づいたゲームに応用している。

手短かに言えば、プレーヤーAはわずかな配分（たったの二ドル）を受けとってすぐにやめることもできるし、自分の番をプレーヤーBに譲ってゲームを続けることもできる。Bのほうはかなりの金額（二五ドル）を受けとって、Aにはまったく与えずに抜けることもできるが、順番をAに譲って続けることもできる。そしてAが最後に、両者にとってまあまあの金額（二〇ドル）を稼いで、気持ちよくゲームを終えてもいい。

プレーヤーが相手のプレーヤーを信用して、相手も同じことをするだろうと見越して自分もすぐには抜けなければ、ブロードマンの区域10はいつになく興奮する。しかし同じプレーヤーが、ゲームは同じでも、相手が生身の人間ではなくコンピュータであることを知っているときには、そうはならない。相手がコンピュータで、機械だから公平不公平を意図的にきめることができないとわかっていれば、脳のその部位は活動しない。なぜなら、コンピュータはこっちが読み解くべき意思を持たないと考えるからだ。

要するに、私たちがどこまでも合理的に、経済学の理論に完全に従って行動できるのは、自閉症の人や脳に障害のある人、あるいは自分の意志がないと思われるものを相手にした場合だけなのだ。しかしこれは人間の限界だというわけではない。限界があるのは経済学の理論のほうで、経済学は私たちの脳がどんな働きをするか、もっと探究しなければならないのだ。この種の知識が深まれば、私たちの期待や選択はさらに正確に測定されるようになるだろう。

復讐は何よりも快楽のため

私たちが正しくないと思う人の行動を罰しようとするとき、そこにはもう一つの動機がある。単純に言うと、快感が味わえるからである。これは、おいしそうな料理を見たとき、お金が儲かりそうなとき、セックスやドラッグを体験したときなどに覚えるのと同じ、本能的な快感である。

この快感を教えるのは私たちの脳で、喜び、満足感、報酬などをコントロールするある種の部位が活発になることが、いくつかの実験でたしかめられている。

これは線条体《せんじょうたい》（ことに後部の）と呼ばれる、いわゆる神経節（あるいは基底核）の一つで、尾状核《びじょうかく》と被殻《ひかく》とを含み、皮質の下にある奥の部分、脳の中心に向かう脳幹の上部にある。線条体は辺縁系に接した、ドーパミン系ニューロンの豊富な部位である。ここは新皮質にくらべて起源の古い脳の部分で、感情を見張るというむずかしい役割を担っている。

線条体は麻薬中毒や喉の疾患の影響を受けることは以前から知られているが、それだけではない。ここは「復讐の醍醐味」にもつながるのだ。チューリッヒ大学のドミニク・ド・ケルヴァンとエルンスト・フェールが、卓越した研究によってこの事実を明らかにした。

事実私たちは、社会的な約束を破った人を罰することが大好きで、そのために自分が得などしなくても、それどころか約束を破ったことよりもっと高い代償を払うことになっても、それでもへこたれずにその喜びを追求する。するべき行動をしない、誠実で正しい行動をしない人を懲らしめる喜びを、たとえ大きな犠牲を払おうと、あきらめようとはしないのだ。自分の利益を最大限に引きだそうとする経済的で利己的な計算などどこへやらである。しかし私たちの脳の奥深くをのぞいてみれば、いかなる状況にあっても、他人のため、みんなの幸福のためにおおらかに人を罰し、そうすることでスカッとするためには、自腹が傷もうと意に介しないことがはっきりわかる。

スイスの学者たちの実験の目的は、数人の人に「信用ゲーム」をしてもらい、脳の活動を調べることだった。使われたのはポジトロン断層撮影（ＰＥＴ）で、この核医学のテクニックを使えば、ポジトロンを出す放射性同位元素を多く含む物質を血液中に投入すると、生化学的および生理学的活動が、細胞レベルの正確さで目に見える。機能的磁気共鳴画像（ｆＭＲＩ）によく似ているが、精度はこちらのほうが高い（しかしコントラストを出すための液体を用いるという点では、侵襲性がより大きい）。

この研究はきわめて優れたものだった。他人を相手にした場合の信用の効果を把握するほかに、相手が私たちの信頼に応えないばかりかそれを利用したときに感じるひどい不快感をも、把握しようとするものだからである。いまここで考えるべきはまさにそれ、だれかが私たちを利用したときに私たちが示す反応である。

信用ゲームの筋書きはこうだ。二人の参加者ＡとＢが匿名でやりとりする。二人ともまず一〇ドルを受けとる。Ａはそれを手もとに置いておいてもいいし、Ｂに送ってもいい。ＡがＢに送るドルはすべて四倍になる。たとえばＡが一〇ドル全部をＢに送れば四〇ドルになり、Ｂの手もとには、先ほどもらった一〇ドルと合わせて五〇ドルあることになる。もしＢが信頼できる人物でＡに協力的なら、Ａとお金を等分に分け、Ａは一〇ドルでなく二五ドル得ることになり、二人とも得をする。しかしＢがＡにまったく返さず、五〇ドルをそっくり手もとに置くことも考えられる。この場合は、ＡがＢにおいた信頼は裏切られてしまうわけだ。

私たちがここで知りたいのは、あとの場合、すなわち信用して一〇ドル送った相手に裏切られたときに、Ａの頭のなかで何が起こるかということである。

実験では、Ａがどちらかを選べることが前提になっている。すなわち、ＡはＢに罰ポイントをいくつか与え、一ポイントごとにＢから二ドル取りあげるが——ここが肝心なところだ——

Aの持ち分はぜんぜん増えない、という罰を与えるかどうかである。この実験のことに興味深いバージョンでは、Aの持ち分は増えないどころか減ってしまう。AがBに罰としてポイントを与えるたびにBは二ドル失い、Aは一ドルを失うことになっているからだ。

注意すべきは、このゲームには反復がないということだ。だからAは、次にいっしょにゲームをするときには協力しあうことを教える目的で――つまり次にはより多く得するために――Bを罰する、ということはしなかった、と考えることはできる。しかしおそらくAは、罰することによって協力という「利他的な」教訓を与える喜びのために、つまり、自分のためではなくて次にBとゲームをする人のために、Bを罰するほうを選んだ、と考えるほうが自然である。

さてポジトロン断層撮影による分析は何を示したであろうか。この実験のあいだに、後部線条体の部位ではげしい活動を示す血流の増加が見られた。この部位はある一定の対象に向けられた行動が起こす喜びを先取りする。それだけではない。信頼を裏切った相手を罰するためなら高い代償もいとわないという気持が強くなったときも、活動がはげしくなる。つまり、線条体の活動と、罰するためにAが払ってもいいという金額、それから罰することによって得る満足感のあいだには、プラスの相関関係があるわけだ。

復讐は冷めた料理かもしれないが、同時に熱い喜びを与えるものでもあるというわけだ。そうでなければ、罰するためにAが代償を払うことになるゲームでの、経済的に損をすることもいとわないという気持が理解できないではないか。

このゲームでは、Ａの頭のなかで活発に働いたのは線条体だけではない。より高度の認知作業にかかわる前頭前野皮質も活発化した。Ａの頭のなかでは、さらなる金銭的損失と、Ｂを罰することによって得られる満足感とを調節するために、認知上の葛藤があったことだろう。前頭前野皮質が活発化したということは、利他的な性格の罰が快感を引き起こしたことの間接的なあかしでもある。実際のところ、罰することが喜びにならなければ、お金をかけてまでそんなことをする意味がない。前頭前野皮質はコストとリターンの計算などまったくしないだろうから。

神経科学が私たち人間の社会的行動の理解に貢献するかどうかについて、哲学的な考察をひとつしてみよう。この神経生理学的実験に表れた利他主義の基礎にあるものは、人びとを他人思いの行動に駆りたてるものとはまったく関係がない。実験の結果はもっぱら私たちの行動から導きだされたものであって、私たちの意図から出たものではないのだ。つまり、生理学的に見た場合、一つの行為が利他的なものになるのは、――他人のために何かをしようという意思とは関係なく――個人の負担で集団が利益を得る場合なのだ。こういった特殊な意味で、私たちの脳は実際上利他的に働き、協力関係をこわす者を罰し、罰せられた者が将来は他人と協力しあうような作用をするのである。しかしそこには高貴な動機や人間的な理想があるわけではなく、むしろ自分の（利己的で）本能的な喜びに押されてのことであるようだ。

こうしたことから連想するのは、アダム・スミスが『国富論』に書いた有名な言葉である。彼は言っている。個人は自分の経済的利益を利己的に求めるうちに、「見えざる手」によって、たとえそれが自分の意図に直接結びつかなくても、社会の幸福を追求する方向に導かれる、と。これは自分の経済的利益を求める場合に限らず、(金銭的に損をしてでも)自分の快楽を求めようとする場合にもあてはまることではないだろうか。

教訓

❶ 神経科学と経済学が結びつき「神経経済学」(18章で取り上げる)が誕生した。何よりも、そのことを保証したのは、人の生きている脳を「非侵襲」(傷つけないという意味)で調べられる装置が誕生したことだ。ピアノを弾いたり、囲碁・将棋の「次の差し手」を考えたり、もちろんお金の計算をしているときのあなたの脳が、カラー画像で見えるのである。

16　心を読むミラーゲーム

神経生物学から見たお金のゲーム

私たちのニューロンの働きには経済的および政治的な面もあって、そのために私たちは、アダム・スミスが考えた以上に、将来を先読みすることができる。線条体が喜びの気持を表すのは他人を利他的に罰するときだけではない。なんの下心もなく、もっぱら他人への信頼という快感を味わいたくて隣人に優しくしたり協力したりするときにも、同じ反応をするのだ。

事実、次の実験では、人びとは進んで協力しようとする他人とやりとりするとき、快感を味わっている。うれしいのは金銭的利得が引きだせるからではなく、おたがいに信頼し信頼に応えあうことそのものに、喜びを見いだすからなのだろう。

実験された信頼ゲームはだいたいにおいて前回のと同じであった。詳細については触れないが、大事なのは次の二点を知ることだ。その第一は、ゲームはくり返されること。プレーヤー

AとB——お金を送る人と受けとる人——は（一回だけでなく）十回にわたって、お金を送っては分けあうことを続ける。二点目は、ダブルの機能的磁気共鳴画像（ハイパースキャンfMRI）が分析に用いられるということだ。つまりAとBの双方の脳が連結されて分析されるのである。一方の脳のサインに、数秒後にはもう一方の脳のサインが応え、こうして動きとそれへの反応が記録されることによって、（ペテンにかけられたあとのAの反応だけでなく）信頼と利他主義のサインがあれば、双方のそれを捉えることができる。両者はやりとりを何回も重ねるうちに、エゴイストか気前がいいかの、自分の立場を固めていくわけだ。

コリン・カメレールと（パサデナの）カリフォルニア工科大学の同僚たちが、なんと四八組のカップルを対象にしておこなったSFまがいの調査では、尾状核という脳の部位が情報を連続的にとらえて記録することが解明された。はじめの情報は、相手のプレーヤーが発した金額の公平性についての情報で、そのあと、プレーヤーAの信頼に対して相手が誠実に応えているかどうかの情報がもたらされた。

人びとは通常、「目には目を、歯には歯を」の原則に従って行動し、協力する人とは協力し、反目する人とは反目しあう。最初は協力の意思を見せながらあとで翻意する相手を罰することには快感を覚える。しかし今回の調査で、協力の意思が強く、相手を信用してより大きい金額を送り返そうとする気持が強いほど、尾状核がよりはげしく興奮することがわかった。それだけではない。はじめのうちは、受益者（提供者にお金を送り返す人）の信頼感は、提供者が

（送る金額を増やすことによって）協同作業をしようという意思を明らかにしてからかなり時間が経ってから生まれた。しかしそのあとでは、すでに信頼感が生まれていたから、相互信頼の関係は急速に深まり、しまいには分ける金額を増やすことを前もって伝えるほどにまでなった。要するに、相手に対する信頼の念が増すと、相手の信頼に応える喜びも大きくなり、応えることに決めるまでの時間が短くなるのである。

これには子宮収縮ホルモンのオキシトシンの増加も手を貸している。このホルモンは強い社会的結びつきが生じたときに増加する（その最たる例が授乳期の母子の関係である）。信頼ゲームの最中にこのホルモンを測ってみると、はじめのプレーヤーが相手を信用して金額を増すと、受益者のオキシトシンが増していることがわかった。

他人の信頼に応えるという言葉は単なる常套句ではない。国家の経済的発展にかかわる重要な役目も果たしている。国民相互の信頼感と協力の程度が増せば増すほど国が豊かになることは、研究の結果わかっているのだ。信頼感についての神経生物学的研究が、いつか政治的決定に反映される日が来るかもしれない。私たちの脳が決定するときのやり方を知っておけば、経済取引のルールを変えることにも役立つだろうし、有効性だけを冷ややかに利己的に追いかける人に、万人のためになる相互協力の利点を教えるためにも益になるだろう。

知るべきことはただひとつ、相互信頼と協力は私たちに快感をもたらすだけでなく、経済的にも有益だということだ。私たちの幸福は、周囲の人たちの幸福や他人との苦楽の分かちあいと、切り離して考えることはできないのだから。次に見るように、感情移入ということについても、ニューロンは私たちに興味深いことを教えてくれるのである。

共感の生みの親はミラー・ニューロン

私たちを他人と結びつける絆は、ふつうに考えられているより強いし根も深い。自分のためになることだけを最大限に追求するエゴイストとしてのホモ・エコノミクスには想像もつかないほど強くて深い。この結びつきは、私たちの脳のなかに組みこまれてしまっていると言ってもいいほどだ。さらに正確に言えば、これは驚くべき特性を持った「ミラー・ニューロン」という特殊なニューロンのおかげで生まれるのである。このニューロンの働きは私たち自身が何かをするときにも、他人が何かをしようとするのを見たときにも活発になる。

ミラー・ニューロンは一九九〇年代に、イタリアの神経学者ジャコモ・リッツォラッティとパルマ大学の彼の仲間によって発見された。このニューロンは、他人のしぐさ、行動、心の状態を私たちのそれと関連づけることによって、その意味や意図を認識させるものだ。この種のメカニズムがなかったら、他人の行動を見分けることはできても、他人が何をしているのか、何をするつもりなのかを、ほんとうに知ることはできない。これは、たとえば手でものをつかむとか、食べ物を口に運ぶといった、どんなに単純なしぐさにもあてはまるが、気持についても言えるようだ。

ミラー・ニューロンが最初に（いくらか偶然に）突きとめられたのは、実験室につくられた社会的環境のなかで、サルがどんな遺伝的運動をするかを研究している最中だった。そこで展開された光景は、運動能力だけでなく、私たち人間の社会的行動や仲間どうしの生き方を考えさせるほどのものだったのだ。ミラー・ニューロンは人の脳のあちこちに分散していることがわかったが、私たちが他人の感情的反応をつかんでそれを読みとることができるのは、ミラー・ニューロンがいくつかの特殊な部位に存在するためだということも明らかになった。他人の感情を読むときには、その感情を私たち自身が体験するときに活発になる、ほかならぬその神経細胞が活発になるのだ。これを理解するためのいい例が、優れた映画やみごとな芝居を見たときに体験する感情移入である。

他人の感情を読みとることにはいろいろな利点がある。危険を避けることができるし、被害を受けそうなときにはそれへの防衛策が考えられるし、一方では愛情関係を築くこともできる。生まれて数日の乳児でも、そばにいる母親などの表情が明るいか暗いかを認識して、乳児らしい共感を示すらしい。

しかしいったいどんなメカニズムを通して、私たちの脳は、他人の、たとえばしかめ面のような表情を読みとるのだろうか。発見されたミラー・ニューロンのような、行動を理解するための感情読みとり装置が存在するのだろうか。

島《とう》についてはすでに触れてきた。実験や臨床的なデータによると、皮質のこの領域（とくに左半球の島前部）に共通の神経基盤というのがあって、自分が不快を感じたときにも、他人の顔に不快の表情が表れたときにも、この部分が活発になるそうだ。このニューロンは喫茶店でまずいコーヒーを飲んだときにも、飲んだのが友人で、顔をしかめてコーヒーのまずさをこちらに気づかせたときにも活性化する。

さらに明らかになったのは、島を損傷した患者は、不快感に「共鳴する」ことがもはやできないということだ。一方で、そのほかの感情（怒りや恐怖など）を表す顔の表情を読みとる力はまったく衰えていない。しかしそれだけではない。このタイプの患者は自分自身の不快感を感じることもできないのである。

しかし不快感について言えることは、ほかの多くの感情についても言えそうだ。ことに、島はミラー・メカニズムの一種の独立した中核であるらしい。顔の表情を伝える視覚的情報がそこに届き、それらがそれぞれの感情の枠のなかに収められる。しかし島は情報の投入とそれへの本能的反応を統括するセンターでもある。それはだれかが吐き気に襲われたときのことを考えてみただけでもわかる。そんなときにはこっちも強い吐き気を感じてしまうのだ。いずれにしても、感情についてはそのような共鳴メカニズムがあると考えても不自然ではない。なぜならそれは、人間関係の基礎になる共感的行動にとって不可欠のものであるからだ。

他人の幸福な姿を見ると、私たち自身が幸福なときに活発になる脳の部分が盛んに働く。しかしだからと言って、私たちの行動は他人を幸福にするためにある、というわけではない。他人を幸福にする利他的な行動がそのまま、私たち自身を幸福にする（利己的な）行動になるような世界は、じつにすばらしい世界だろう。しかし残念なことに、私たちと他人の行動や感情を結びつけ、それらを理解したり「感じ」たりさせる、本能的と言ってもいいほどの共有感が、そのまま他人への共感にまでなるわけではない。

たとえばテニスで相手を負かして、相手が苦しむとは言わないまでもがっかりしても、だからといって私がその気持に共感するかどうかはわからない。相手の気持は理解できるし、本能的に読みとることもできても、その精神状態に共感するには、「ミラー」メカニズムよりもはるかに多くのものが必要なのである。もし相手が気に入らない人物だったら、その人の失望や苦悩を喜んでしまう場合だってある。同様にして、不幸な人やうちひしがれた人を前にしたとき、その人の姿や顔つきから絶望を読みとることはできても、その人に同情するどころか、そんなに不幸でみじめな人からはさっさと逃げだして、知らぬ顔をしていたいと思うかもしれない。

いずれにしても、現在のところは、ミラー・ニューロンが他人の気持を読みとる可能性を、遠めがねで眺めることができる程度だが、数年のうちにはその実体がはっきりするだろう。しかし他人の気持を感じることができるからと言って、それがすなわち共感的行動への欲求につながるわけではない。ジャコモ・リッツォラッティは言っている。彼が発見したミラー・ニューロンという生物学的メカニズムが社会にとってプラスになるには、文化的基盤が必要だろうと。言いかえれば、マタイによる福音書が説く「あなた方が人びとにしてもらいたいことのすべてを、あなた方も人びとにせよ」という黄金律を自分のものにしなければならないということだ。この倫理的規範がミラー・ニューロンのポジティブな面を強めれば、ネガティブな面が後退するかもしれない。

しかしある倫理的規範が正しいかどうかは、どうやって決めたらいいのだろうか。私たちの倫理的判断の裏には何が隠れているのだろうか。ある状況でとるべき正しい行動を、脳は私たちにどのように教えるのだろうか。というわけで、次には神経倫理学をざっと見わたしてみよう。感情と理性のあいだの絶えまないシナプスのゲームは、驚くべき様相を次々と明るみに出している。

倫理的判断とニューロンの役割

次の道徳的ジレンマを考えてみよう。この問題は多くの哲学者の興味を引いてきたが、最近では神経科学者の注目も集めている。

図9-1
バージョンA。車線を変更することは正しいことか。

問45
バージョンＡ　車線変更。ある電車が五人の人がいる方向へ走り出した。このままでは五人は轢かれてしまうだろう。五人を助ける唯一の方法は、車線を変更して車両を支線のほうに導くことだ。しかしそうすると別の一人が死んでしまう。

質問　車線を変更することは正しいことですか？

多くの人は「イエス」と答える。五人を助けるために一人を犠牲にすることは、モラルの上では受けいれやすい。

今度は別の場面を考えてみよう。

図9-2
バージョンB。太った人を突き落とすことは正しいことか。

問46
バージョンB　太った人。バージョンAと同じく、暴走した車両が五人の人がいる方向に向かっている。なんとかしなければ五人は轢かれてしまうだろう。あなたはその光景を陸橋の上から見ているが、いままさにその下を車両が通過しようとしている。あなたの横にかなり太った人がいる。あなたはとっさに判断する。その知らない人を線路の上に突き落とせば、列車は確実に停まって五人は助かるだろうと。しかし同時に、太った人が死ぬこともほぼたしかなのだ。

質問　横にいる見知らぬ人を突き落とすことは正しいことですか?

ここで大方の人が出す結論は、たとえ五つの命と一つの命の問題でも、太った人を犠牲にすることは正しくない、というものだ。

この二つの問題で答えが食い違うのは、いったいどうしてなのだろうか。二つのケースの道徳的に正しいほうを判断するうえで、いったい何が変わるのだろうか。次を読む前に答えを考えてみてはどうだろう。

どんな原則をもとにすると、二つのケースで私たちがとる行動が正しくなるかを考えるのは、哲学者の役目である。イマヌエル・カントを引きあいに出して、だれかを助けるためにほかのだれかを手段として使うのはよくない、と主張する人もいた。太った人のバージョンでは、電車を停めるために文字どおり人を用いるという、積極的な介入をするわけで、ここでは個人の死が手段になっている。一方、車線変更のバージョンでは、犠牲者は介入が引き起こした一種の側面効果のために死ぬわけで、こちらでは個人の死は事故の意味あいが強い。

これはほんの一例で、ほかにも多くの例が考えられる。おもしろいのは、正当化の理由は別にして、道徳に関する直感は文化が異なっても基本的には変わらないということだ。霊長類認知神経科学研究所所長でハーヴァード大学の心理学者で生物学者でもある進化論者のマーク・ハウザーは、二〇〇三年に着手した研究のプロジェクトで、まさにこの点を確認しようとしている。彼はインターネットでアクセスできる（http://wjh1.wjh.harvard.edu/~moral/index.html）モラル・センス・テストを通して、年齢、性、出身、文化、宗教、教育、職業経験の異なる人びとが、正否の判断をどのようにするか、またその理由は何かについての、大量のデータを集めているところである。

このテストに参加した人びとは、一連の道徳上のジレンマによって自分を測ることになり、それぞれのジレンマの倫理的側面を考えながら、解決を試みなければならない。ハウザーのデータによれば、私たちの道徳的直感は合理的とはまったく言えず、教育や文化に左右されたり、社会の進歩に影響されたりはしても、本質的にはその反対に、無意識的無意志的であるという点で、万人共通と言えるほどだった。

ここで私たちが知りたいのは、車線変更のジレンマと太った人のジレンマを脳がどう解決するかである。その意味で、プリンストン大学の神経科学者で哲学者でもあるジョシュア・グリーンが唱えた大胆な仮説について考えてみよう。グリーンは、食い違いが出るのは感情のためだと言う。それぞれの道徳上の判断には認知の働きと感情の働き（ときには両者の対立）がかかわり、この両者が今度は脳のある特別な領域の活動と結びついているのだ。

太った人を陸橋から突き落とすというバージョンは、車線変更というありふれたバージョンにくらべると、感情という観点からしてはるかにショッキングである。そのために、感情による反応が、二つの状況に対する道徳上の判断に違いをもたらしてしまう。あることが身近に感じられて他人事とは思えないときには、私たちは無意識で原始的な、本能的とも言える反応をする――これはグリーンに言わせれば、進化上の適応のためである。一方で、他人事として距離をおいて見ることができるような場合には、考え方がより抽象的になる。そんなときの認知の作業は、コストとリターンの冷静で合理的な分析になり、それなら当然のこと、死者は五人より一人のほうがいいわけだ。

グリーンの仮説が正しいかどうかを知るための一つの方法が、人びとがこの種のジレンマを解いているあいだに、磁気共鳴画像を使って脳のなかを観察することである。つまり、太った人のバージョンが、感情の反応に関連した部位の活動を強めているかどうかを見るわけだ。グリーンとジョナサン・コーエン（プリンストン大学脳・精神・行動研究センター所長）がこれを実験してみた。結果は実際「イエス」と出た。人（太った人）のバージョンはとりわけ前頭葉内側皮質の一部位を活性化し、車線変更のバージョンは前頭前野背外側皮質の一部位を活性化していた――この皮質についてはすでに述べたが、ここは道徳とは関係のない抽象的なジレンマや問題を解決するときにも活発になる。

彼らが発見したのはそれだけではなかった。このジレンマでは感情と理性がデスマッチを繰り広げることにも気がついたのだ。このことを理解するには、神経組織が火をつける感情の反応はストレートに短時間で起こる、ということを知っている必要がある。この反応時間は、直感的な熱い判断が分析的考察によって冷やされた場合には、必然的に長くなる――たとえば、五人死ぬより一人死ぬほうがましだから太った人を陸橋から突き落とすのは道徳的には正しい、という判断に移るような場合である。

この場合、そうするのが正しいと判断するのに要した時間のほうが、正しくないと判断するのに要した時間より長いことが、実際にたしかめられている。理由は単純だ。はじめは感情が反応して「ノー」と言うが、それから、認知の調整と行為の損得の功利的な計算をするニューロンの部位が活性化されて、判断を変えさせるのである。脳がこのように二段階の操作をするときの時間は、二倍を超えることがわかっている。

道徳的選択の基盤になるニューロンの研究は、私たちの道徳的判断に感情や情緒が重要な役割を果たすことを明らかにした。が同時に、スターリンが言ったとされる、「一人の死は悲劇だが、百万人の死は統計である」という恐るべき言葉の意味を、考えさせる結果にもなった。

さて次には、倫理上のジレンマからお金のジレンマに目を移してみよう。ニューロンと感情と認知は手を組んで、軽視できない決定のプロセスを生みだしている。次章の冒頭にある、ヴァーモントの鉄道建設を指揮した有能な二十五歳の若者の有名な実話は、合理性についての神経生物学にわれわれを誘《いざな》ってくれる。

教訓

❶ 神経生物学で近年いちばんホットなニュースは、ミラー・ニューロンの発見であろう。発

見の逸話は、サルの頭皮実験の最中に研究者のだれかがアイスクリームを食べていたら、サルにつないだ電極から反応がとれた、というもの。映画を見て涙する、だれかに恋をする、あるいは学習の基礎に「模倣」が重要な役割を果たしているならそのとき（漢字を覚えようと何度も同じ字を書いているときなど）、ミラー・ニューロンが働いているのでは、という空想とも現実ともつかない話題がまことしやかに、研究者のあいだでささやかれている。

❷ 脳における意思決定はいつどのように行なわれるのか。このことに貴重な示唆を与えるのが、ベンジャミン・リベットの実験。私たちはふつう、「意識してから行動に移す」と思っているが、じつは「意識する」〇・三五秒前に脳はすでに活動を開始している。「脳活動→意思→行動」の順だというのだ。この結果、「意思」と思われるものが、どのようにつくられるのかが問題として浮上してきたのである。

❸ 下條信輔氏は、二枚の顔写真を画面で被験者に示し、「よく見比べて、どちらが魅力的か判断してください」という実験をおこなった。結果は、一方に目を向ける確率が高まってから一秒後にそちらに決めた。次に、交互に二枚の顔写真を示すが、一方の写真をより長い時間見せた。結果は、長く見たほうを魅力的と判断した。「見るから余計に好きになる」、すなわち「行動→意思」の例なのだ。「視線のカスケード」と呼ばれるこの現象は、「悲しいから泣くのではなく、泣くから悲しいのだ」の事例と解釈される。

17　理性より感情がものを言う

理性には限界がある

一八四八年九月十三日、フィニアス・ゲージがヘマをやったが、そのヘマは彼の脳のなかだけでなく、脳についての私たちすべての知識にも示唆深い跡を残した。彼は爆発させることになっていた岩の穴にあった火薬を鉄の棒でつぶしていたが、そのうちに火花が出た。火薬は彼の顔の前で爆発した。岩は破裂しなかった。重さ六キロ、長さ一一〇センチ、直径三センチの鉄の棒がロケットのようにはじけ飛んでゲージの左頬をつらぬき、頭蓋骨の底に穴を開けて前頭部を横切り、頭のてっぺんを突き抜けて三十メートルのかなたに吹っ飛んだ。ゲージはひとことも言わずに倒れたが意識はあった。彼はわれに返ると水を一杯ほしがった。それほどの重傷を負っていたのに、病院へ運ばれると、驚いたことに歩くことも話すこともじつにスムーズにできたのである。

図10●フィニアス・ゲージの頭蓋骨と、それを貫通した鉄棒。

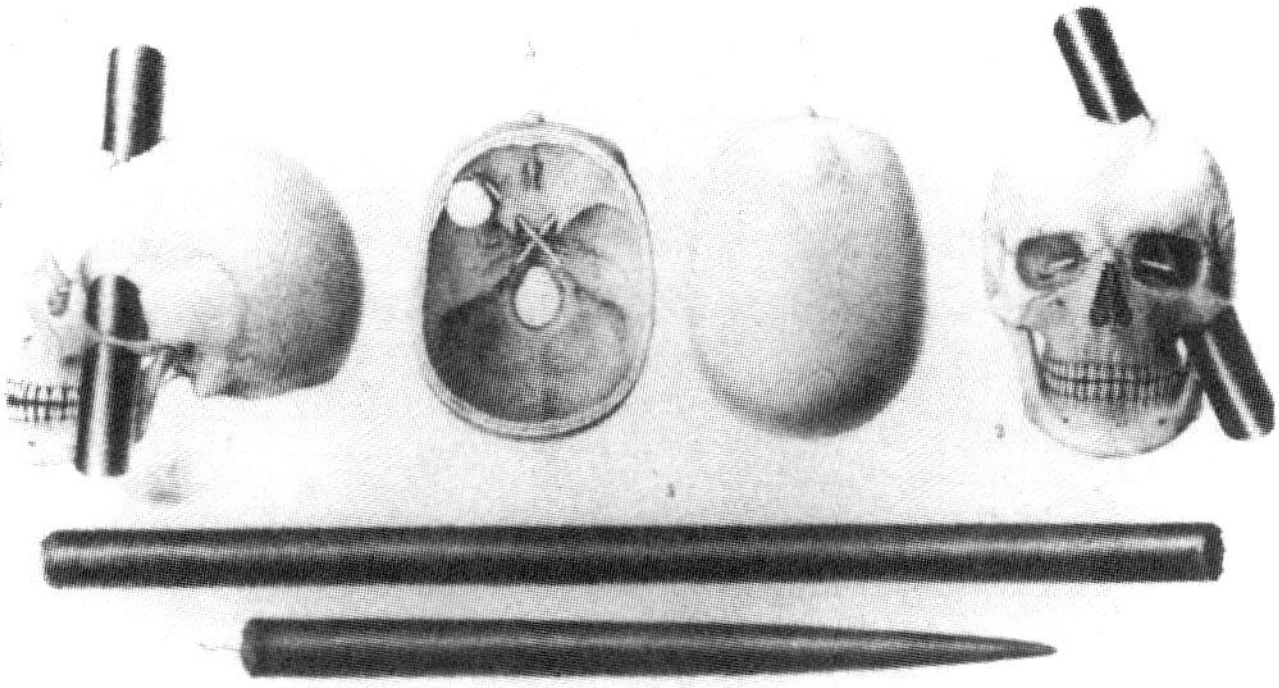

ゲージは重大事故を完全に切り抜けてから、その後十三年も生きのびた。完全と言うより「ほぼ」完全と言うほうがいい。なぜなら、事故で左目を失ったうえに、もはやそれまでのゲージではなくなっていたからだ。

彼はもはや、友人たちが覚えていた親切で有能なあのフィニアスではなくなっていた。不安定で落ち着きなく荒っぽい男に変わっていた。「彼の知的能力と動物的傾向とのあいだの［…］バランスがこわれていた」と彼の主治医だったハーロウは書いている。「彼は以前の彼と違って、落ち着きがなく、横柄で、ときには驚くほど身勝手になった。仲間に対して敬意も払わず、気に入らない相手や忠告にはそっぽを向き、はっきり嫌悪感を示すこともあった。一方で気分にはむらがあり、たえず揺れ動いていた。将来についての計画はいくつも立てるが、立てるそばから放棄していた」

ゲージの頭蓋骨はハーヴァード大学医学部のウォーレン博物館に、彼の頭を貫通した鉄棒と一緒に展示されている。脳の特殊だが広範囲な部位と社会的行動とのあいだには明確な関係があることを示す、一人の男の不本意な経験を、思いだす手がかりにするためである。

アイオワ大学のハンナ・ダマシオとハーヴァード大学のアルバート・ガラブルダは、3D(三次元=立体)での再現によって、ゲージの損傷は両半球の前頭前野皮質(正確に言えばその腹内側部《ふくないそく》)の損傷であるが、背外側部《はいがいそく》は損傷をまぬがれている、と推論した。いわゆる腹内側部損傷患者である「現代の」多くのフィニアス・ゲージの観察から、多くのことが判明している。彼らは記憶力のテストでは正常値を示し、知力や論理的推理力も変わらず、視力はしっかりしているし、手の動きも正常である。しかし日常生活での決定能力に欠け、判断力、計画力、内省力、社会的論理構成力が衰えていて、それが彼ら自身のための決定にも明らかに支障になっている。そのために、将来に備えて何かを学びとることはほとんどできない。

しかしここで注目すべきは、腹内側部損傷患者の決定能力の欠落は、ありふれた日常生活のなかでも彼らの行動を台なしにするほどの、感情活動の低下を伴っているということである。

豊かな文学的才能を持っていることで有名な、ポルトガル出身の神経学者アントニオ・ダマシオが、腫瘍摘出にともなう外科手術で前頭前野に損傷を受けた彼の患者について、優れた文章を書いている。

私はまもなくエリオットを診察したが、彼のなごやかさと人を惹きつける力に驚いた。彼はひじょうに魅力的である一方で、感情の抑制も行き届いていた。礼儀正しく如才なく、穏やかで、皮肉っぽい微笑をかすかに浮かべることはあっても、それは優れた知性の表れであり、愚かな世間への軽い同情のようでもあった。冷静で、淡々として、自分のかならずしも好ましくない経験のことを話すときにも、気持を乱すことはなかった。［…］以前のエリオットはよき夫でよき父親だった。商社に勤めていて、きょうだいにも仕事仲間にも、だれにとっても模範的存在だった。［…］たしかに、彼の知的資質や運動能力や言語能力に変化はなかったが、多くの点で、エリオットはもはやエリオットではなくなっていた。［…］予定を立てるとき、彼を当てにすることはできなかった。ある仕事を中断して別の仕事をしなければならないときも、彼は肝心の目標を見失っているようで、はじめの仕事をそのまま続けた。［…］彼にはもはや通常の業務ができなくなっていた。［…］彼は蓄えのすべてをうまくいくはずのない事業に注ぎこみ、元も子もなくした。以前のエリオットを知っている人は、彼がそんなまずい事業に投資したことに首をかしげた。

　妻や子どもや友人たちには、聡明で人一倍慎重だった彼が、そんなばかげた行動をすることが理解できなかったし、なかにはそんな彼に我慢がならない人もいた。妻とは離婚し、家族も友人も納得しない相手と短い結婚生活を送ったあと、ふたたび離婚した。

収入の当てがなかったから、いつもふらふらしていた。

アントニオ・ダマシオは、このケースやほかの多くのケースから、損傷を受けた脳の部位は、感情の助けのもとに理性がその決定能力を最高度に発揮するためには、必要不可欠な部位であると直感した。彼は言う。「感情や情緒の欠陥は社会的行動の欠陥にたまたま付随した、単なる脇役のたぐいではないと思っていた。エリオットが考えるときの冷静さを見て、彼はそれぞれの選択肢に個別の意味を持たせることができなくて、決定するべきことがすべて甲乙なしに見えるのだと思うようになった」

こうした考え方が正しいとしたら、先ほど見たモラルのジレンマのような場合、ゲージやエリオットはどんな選択をするだろうか。太った人を陸橋の上から突き落とすことに否定的反応が出たのは、そのことに感情が激しく反発したからだった。しかし前頭葉腹内側部損傷患者だったら「ノー」とは言わない。彼らからすれば、五人を助けるために太った人を陸橋から突き落とすのは、どこから見ても正しい行動なのだ。彼らにとっては、車線変更というありふれたことと、太った人を犠牲にするという窮極の方策とのあいだには、なんの違いもないらしいのだから。

感情は不可欠なサポーター

ダマシオの直感が正しいかどうかを知るにはどうしたらいいだろう。なによりまず、腹内側部損傷患者を「健常者」と区別できるテストをするといい。そうすれば決定のプロセスにおいて感情の果たす役割が解明できる。

ダマシオと彼の仕事仲間アントワーヌ・ベシャーラが実験をアイオワ大学でしたことから「アイオワ・ギャンブリング・タスク」という名で有名になったテストは、参加者が四つの束からトランプカードを何度も引き抜くというものである。二つの束は賞金は少ないが損失も少ない。ほかの二つは儲けは大きいが損失も莫大である。何回か引き抜いたあと、ふつうの人ははじめの二束に向かいやすい。ところが腹内側部損傷患者は後の束を選んでしまう。

あなたもゲームに参加するとしたら、まず二〇〇〇ドルをもらう。あなたの目的は、損失をできるだけ少なくし、利益はできるだけ多く上げることだ。あなたの前にはA、B、C、Dの四つの束がある。それぞれの束は同じものではない。カードを一枚選ぶたびに利益が入る。しかしときどき、まったく予期しないところに、損をさせるカードもある。ゲームがいつまで続くか、あなたにはわからない（実際はあなたがカードを一〇〇枚裏返したところで終わる）。

具体的に説明しよう。AとBから報酬カードを引けば一〇〇ドル、CとDから報酬カードを

図11●アイオワ・ギャンブリング・タスク。AとBの束では、純益の面で10枚ごとに250ドルのマイナスがあり、CとDの束では250ドルのプラスがある。したがってAとBは「悪い」カードで、CとDは「よい」カードである。

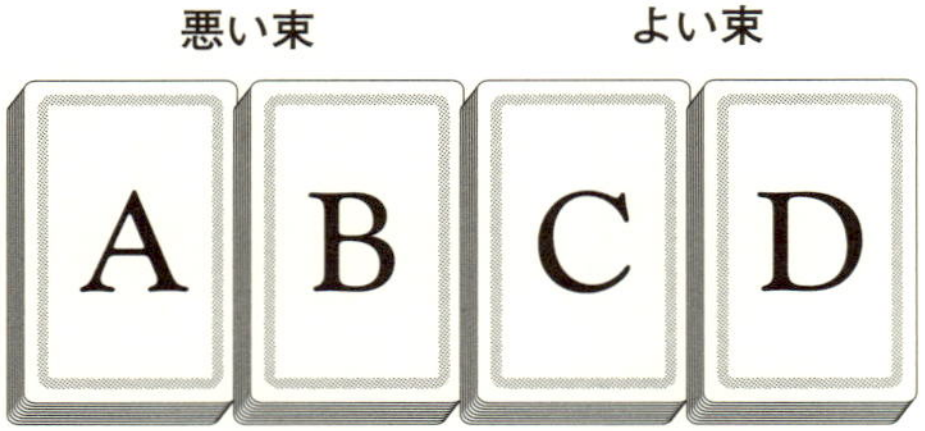

	A	B	C	D
各報酬カードの金額	$100	$100	$50	$50
10枚中の合計罰金額	$1250	$1250	$250	$250
10枚トータルの損益	$-250	$-250	$+250	$+250
10枚中の罰カードの頻度	5	1	5	1

引けば五〇ドルがもらえる。しかしなかには罰カードもあって、AとBの束では一〇枚引くごとに合計一二五〇ドルの損をし、CとDの束なら合計二五〇ドルの損をする。

罰カードが出る頻度は束によって異なる。AとCでは一〇枚につき五枚の少額の罰カードがあり、BとDでは一枚だけだが高額の罰カードがある。このことから、AとBは「悪い」束で、CとDは「よい」束であることがわかる。

プレーヤーは罰カードにいつ出会うかわからないし、それぞれの束で正確にはいくら儲かるのかも知らない。

もしあなたの頭を鉄棒が貫通して前頭葉眼窩部《がんかぶ》（腹内側部と同じ）に損傷を負ったりしていなければ、多くの人の例にならって、はじめはすべての束からカードを選ぶだろう。ふつうは四〇回か五〇回引き抜いたあとは、よい束に気がついて、その束から引くようになる。冒険が好きならたまには悪い束から引き抜くことはあっても、終わりに近づくほどその頻度は減る。ところが腹内側部損傷患者は損をすることなどにはかまわず、AとBという悪い束から平気で引き抜く。

この実験はとりわけ「現実的」であるだけ、じつによくできている。プレーヤーはゲームのあいだ、どれだけ儲かっていてどれだけ損をしているのか、はっきり知りようがない。そしてこれも実生活と同じように、プレーヤーの知識は、外的状況がもたらす（客観的）情報と、損得やリスクを前にしたときに体内が発する（主観的）情報をもとにしたものなのだ。ゲームが進むうちにプレーヤーは、ある束のほうが別の束より有利であることに気がついていく。これは、それぞれの動きの結果をきちんと見越した意識的な予測に先行する、明確な自覚のない無意識な段階である。

この段階には、健常者の場合、はっきりした感情的反応がともなう。悪い束から引いたときには、一〇回が終わったところで、もしかしたら破産するかもしれないという自覚がまだ生まれないうちから、もうストレスの兆候を見せる。一方機能障害のある患者は、稼ぎたいのは同じで、ゲームのロジックはよくわかっているし、賭け金のこともわかっていても、悪い束から引くときもじつに冷静なのだ。

ストレスは皮膚のコンダクタンス測定装置を使えば容易に測れる。皮膚の表面に、ポリグラフと連結した一対の電極をセットする。感情に関連のある身体細胞に変化があると、自律神経系が発汗をいくらか活発にさせ、そのために電流通過への抵抗が減少するから、それによって、起こった変化を測ることができる。健常者にくらべると、前頭葉腹内側部損傷患者の描く跡はのっぺりしていて、感情反応が弱いことを表している。

エリオットもこの実験に参加した。ダマシオは述べている。「彼の場合、このゲームは注目に値した。なぜなら彼は自分を、冒険には向かない慎重な人間だと何度も言ったからだ。[…]そのうえテストが終わったとき彼は、どの束が危険で、どれが危険でないかを知っていた。ところが数ヶ月後に、ほかのカードで束の条件も変えてふたたびテストをしたとき、エリオットは日常よくやるように、エラーを何度もくり返した」

これはどういうことなのだろうか。可能性がいくつかあるときには、冷静に判断し論理的に計算すれば、ありうる選択肢のなかの最良のものにおのずとたどり着く、とよく言われる。判断のプロセスを台なしにしないためには、したがって、合理的思考から感情を排除することが望ましい、と考えられている。ところがダマシオは、感情は「危険な結果を生みそうな選択肢を選ぶときにはよく注意せよ」という警告を発する、自然のサインであることを示したのだ。無意識な(あるいは意識下にある)感情は、私たちを有利な選択に導き、誤った活動から遠ざける働きをしているというわけである(**「ソマティック・マーカー仮説」**という)。

前頭前野腹内側部に障害のある人は、危険の「内的表現」が不可能で、危険が呼び起こす「本能的反応」をすることができない。抽象的にどの選択が正しいかは完全に理解できても、それに呼応する内的感覚が欠けているので、選択は正しくても意味がなく、効果的活動へつなげる力もない。選択を意味あるものにする感情がないと、私たちはたちまちそれを忘れてしまい、「将来の記憶」にすることができないのだ。

正しい決定も、それを心に刻む感情が結びついていなければ、忘れ去られてしまい、過去の経験や知識を基礎にして活動することができない。感情やそれに関連する身体細胞の活動は、だから、有効な記憶と将来のシナリオに直結する力を保つための増幅装置として、決定のプロセスに不可欠な役目を果たしているのである。

要するに、好みやその根拠をしっかり自覚した冷静な知識だけでは、正しいことをするには

ソマティック・マーカー仮説

somatic marker hypothesis アメリカの神経学者アントニオ・ダマシオが前頭葉損傷患者の研究から唱えた説。ある情報に接することで心臓がドキドキしたり、口が渇いたりすることがあるように、内臓系や筋肉・血管系に反応が起きる。そうした刺激が喚起する身体（soma）に関わる感情が「直感」をもたらし、前頭葉腹内側部が「よい」ないしは「悪い」というふるいにかけて、意思決定を効率的にするというもの。これは、経済学者トヴェルスキーと心理学者カーネマンが扱ったところの「ヒューリスティクス」と、明らかに共通点がある。理性と感情、脳と身体の関わりを根本的に考えるものとして注目を集める一方で、「悲しいから泣くのではなく、泣くから悲しいのである」という情動の身体起源説を唱えたジェームス・ランゲ説の焼き直しに過ぎないという、イギリスの脳科学者ロールズの批判もある。

足りなくて、感情のような、論理をつなぎ止めるものが同時になければならないということだ。ダマシオの言葉を借りれば、「理性という脆弱な手段には特別のサポーターが必要である」ということになる。「純粋理性」がその計画を実行するには、それを助ける本能的メカニズム、「支えになる身体細胞」が必要だということなのだ。

セミとアリとハトの教訓

ある種の状況、ことに社会生活のなかでは、合理的行動には感情による無意識のサポートが欠かせない。しかし感情がかえって害になり、認知の進行をさまたげ、つねに非合理な結果を生んでしまう場合もある。感情や情緒は、合理性にとっては益にも害にもなりうるわけだ。感情と決定内容とがうまくかみあうのは、両方が同じ方向を向いている場合に限られる。決定内容と感情とがかみあわないと、本能的で情緒的な反応が幸福の達成を妨げてしまうことになりかねない。

ここでは名高い童話を考えてみよう。

冬のある日、アリたちが水浸しになった小麦を乾かしていました。おなかを空かせたセミが一匹やって来て、食べ物を少しくださいと言いました。するとアリたちは答えました、「どうしてきみも夏のあいだに用意しておかなかったの？」。「時間がなかったのさ」とセミは言いました「歌を歌わなきゃならなかったから」。アリは「夏には歌を歌って、冬になったらこんどはふらふらダンスをしてるわけ！」と言いました。

禁煙やダイエットをはじめるとき、あるいは老後のために蓄えようとしたり、ある株のいまのコストと将来のリターンを考えたりするとき、私たちはいくらかイソップ童話のセミやアリになる。セミに似ている人もいるし、アリに似ている人もいる。イソップ童話の教訓は明らかだ。というか、それは神経科学のおかげでさらに強くなった。セミの行動とアリの行動は、私たちの脳の二つの異なった部分（ことに辺縁系と前頭前野外側皮質）を活性化するのだ。これを教えてくれたのは動物学で、こんどはハトの出番である。

しかしそれを述べる前に、あなたがヘビースモーカーであるとしてみよう。多くの人がするように、あなたも今日禁煙を決意したとする。理由はいうまでもなく、タバコは健康を著しく害するからだ。

ところが、あなたと一緒にコーヒーを飲んでいた友人が、あなたにタバコを一本差しだした。「いやけっこう、もう禁煙することにしたから」、とあなたは言うはずだ。しかし言おうと思っているうちにも、タバコの臭いはしてくるし、はじめの一服のおいしさも思いだす。一本ぐらいいいじゃないか、やめるのは明日からにしよう。
禁煙をはじめた人の八一％がこうして、一ヶ月以内に逆戻りしている。いったいどうしてなのだろうか。どうしてセミの自虐的行動をまねて、長年の健康をひとときの快楽と交換してしまうのだろうか。経済学の理論が教えるように、いつでも一貫した行動をし、より大きな利益をもたらす選択肢を選ぶべきではないだろうか。
ここまで来ると問題はそれほど単純ではなくなる。しかし問題を賭け金で考えたらどういうことになるか、次の簡単なテストでためしてみよう。

問47
どちらかを選んでください。
A すぐに一〇〇ドルもらう。
B 一週間後に一一〇ドルもらう。

問48
どちらかを選んでください。
C 一年後に一〇〇ドルもらう。
D 一年一週間後に一一〇ドルもらう。

多くの人がはじめの質問ではAを選び、あとの質問ではDを選んで、一貫していない。どちらのケースでも、一週間待てば一〇〇ドルよけいにもらえるのだ。しかしいますぐの、目の前の一週間は、余分にもらうために待つには長すぎる。一方で、一年後にもらう額は「割引」された額に見えるから、余分にもらうためにさらに一週間待つことは苦にならない。矛盾した結果が出るのは、ある利益に与える価値が時間によって変わり、今日のほうが明日より、一ヶ月後より、一年後より高いからなのだ。

腹に巣くっているのがセミであるとしたら、行動がどんな風になるかを理解するために、今度はハトの行動と脳を近くから眺めてみよう。ハトについてのこの種の研究には長い歴史がある。

よくある実験では、ハトが先ほどのテストのような課題に向きあう。まず空腹なハトを鳥かごに入れる。かごのなかにはレバーが二つある。レバーはかごの壁にすき間を開けてハトにえさを送る。すき間は、開いている時間によって通るえさの量が変わるように工夫されている。もしハトがレバーAをつっつけば、すき間は数秒のうちに開くが、すぐに閉まってえさはわずかしかもらえない（先ほどのテストのAにあたる）。Bをつついた場合は、えさをもらうまでの待ち時間は長くなるが、えさの量は多くなる（テストではBにあたる）。

ハトが待ち時間とえさの量をどのように調節するかを理解するため、レバーをつついてからえさが着くまでの時間の経過に、いくらか手を加える。もしAとBをつついたあとの待ち時間が同じなら、（空腹であせってはいてもバカではない）ハトは、えさの量が多いレバーBをつつく。しかしレバーBの待ち時間が長くなるにつれて——と言っても秒の単位だが——、えさの量が多くてもだんだん気乗りがしなくなり、しまいには、えさは少なくてもすぐに出てくるレバーAをつつくようになる。私たち人間は、報酬の種類や量の違いはあるにしても、ハトよりは辛抱強いと思われるが、将来を軽く見ることでは、ハトやほかの動物と変わらない。

将来を割り引いて考えることは、それ自体が非合理だというわけではない。いま受けとるものは確実なのだ。一方将来には何が起こるかわからない。しかし将来を割り引いて考えるときには、報酬が受けとれる確率をよく考えてからにしなければいけない。理屈からすれば、この割引は時間とともにコンスタントに大きくなる。しかし実際はそうではない。私たちには（ハトと同じく）過度に割り引く癖がある。「少ないけどいま」と「多いけどあと」（今日のタバコと五年後の健康な肺）とのあいだの優先順位は、いまがまさにいまの場合はみごとに逆転してしまうのだ（**「時間的な選好の逆転」**という）。報酬がいまここでもらえるとなると、時間選好の合理性が消滅してしまう。セミと同じように、衝動や焦りを抑えて、ずっと先にはなっても利益の大きい選択肢を選ぶことが、不可能になってしまうわけなのだ。

ハトの脳と哺乳類の脳は、進化史上二億八〇〇〇万年前から分化している。しかしハトの脳の研究から、私たちの脳のどこに注目すればいいかがわかった。ハトが鳥かごのなかでレバーをつついているあいだに、次のようなことが（まさにそこで）わかったのだ。ある一群のニューロン（ハトの脳の線条体の一部で、鳥類の線条体は哺乳類の大脳皮質にあたる）は、待ち時間と報酬のあいだの関係がどのようであるかに従って、異なった活動の仕方をするということである。待ち時間が変わらなくてレバーBの報酬が増加したときには、ニューロンの活動はしだいにはげしくなった。その逆に、報酬が一定で待ち時間が増えたときには、活動が衰えた。これではまるで、このニューロンが選択肢に主観的評価を与え、報酬と待ち時間とのあいだの駆け引きを管理しているようではないか。

私たちにはハトの脳の線条体はないし、ニューロンに電極を植えつけるわけにもいかない。

時間的な選好の逆転

reverse of time preference「時間選好」はミクロ経済学の基本概念のひとつである。「将来の利益」より「目先の利益」を選ぶことは、合理性に必ずしも反することではない。古典派経済学の権威サミュエルソンは、「現在の価値」は「将来の価値」から割引き率一定の指数関数で表わされるとしたが、現実の人間では、さらに「現在志向バイアス」が強くはたらく。「時間的な選好の逆転」とは、たとえば旅行に行こうとするとき、まだ先のときはいろいろ空想して楽しいが、旅行の出立が間近になると、天気とか、持っていくもので忘れ物がないかどうかが気になること。

しかしイメージングという医学的テクニックを使えば、脳の内部で何が起こっているかを間接的に探ることはできる。いまの例では時間の選好に関することである。

この実験は実際、ごく初期の研究者チームがすでにおこなっていた。メンバーはプリンストン大学のサミュエル・マクルアとジョナサン・コーエン、ハーヴァード大学のデイヴィッド・レイブソン、カーネギー・メロン大学のジョージ・ローウェンステインであった。彼らが『サイエンス』誌上に発表した非常に興味深い記事から、禁煙がなぜむずかしいかが理解できる。

とりわけ注目されたのは、先ほどのような選択問題を解こうとしているあいだ、脳の内部では、二つの異なった神経組織のあいだで競争がはじまるということだった。第一の組織（セミと言ってもいい）は線条体という部位の活発化につれて、すぐにもらえる報酬に飛びつこうとする。この部位はすでに見たように、喜びや報酬に関連し、ドーパミン系の神経伝達物質が活発に働いている。線条体と並んで活発になるのが辺縁系（脳の「古い」部分で、ハトや、私たちほど進化していない動物にもある）のなかの前部帯状回である。第二の組織（アリ）は合理的なしっかりした活動をうながし、本能的欲求との調整を計って、人間の脳だけに見られる前頭前野皮質の部位（ことに背外側部と右前頭葉眼窩部）と力を合わせる。

要するに、二つの組織のそれぞれの活動は、個人がする選択に深く関わっているわけだ。辺縁系の組織のほうが活発に働けば、すぐに一〇〇〇ドルを受けとるほうを選ぶだろう。一方で、前頭前野皮質のほうが活発に作用すれば、理性が本能的欲求を抑えて、すぐに受けとろうとはせずに、将来よけいに（一週間後に一一〇〇ドル）もらうことにするだろう。というわけで、その（最後の）タバコを吸うことはまったく自然なことなのだ。しかし少なくともある状況のもとでは、私たちは衝動を抑えて合理的な行動をすることができる。どうしたらそれができるのかについて考えはじめたら、プラトンにまで歴史をさかのぼることになる。

教訓

❶「理性VS感情」という対立図式でとらえるのではなく、「感情は理性を支える不可欠なパートナー」であり、「知識だけでは正しいことをするには足りない」という本章の主張をよくかみしめよう。「理性で感情を御す」のではなく、両者をうまくかみ合わせることができるかどうかは、あなた次第である。

❷楽しみにしていた結婚式が間近に迫ってくると「マリッジ・ブルー」になったり、海外旅行の出立の日が近づくと次第に億劫になる、ホームパーティも当日になると後片付けする人が何人いるかどうかが気になったりする。これも「時間的な選好の逆転」である。

18　人間的な、あまりに人間的なわれわれの脳

のさばるのは感情

プラトンにとって頭脳とは、二頭の馬に引かれる軽快な馬車だった。白馬のほうは優美で従順な駿馬で、黒馬のほうはしぶしぶのろのろと引く馬である。『パイドロス』には次のように書かれている。「よい馬のほうは姿形よく凛と立ち、うなじはぴんと伸び、かぎ鼻で毛並みは白く、目は黒く、節度と慎みを保ちながら誇り高く、真の評価を友とし、鞭は要らず、引かせるには声をかけるだけで足りる。もう一方の馬はこれとは反対に、太ってゆがんで見栄えが悪く、首はずんぐりと短く、鼻はつぶれて毛並みは黒く、灰色の目は血走って、傲慢で荒々しく、耳のまわりは毛深く、反抗的で、鞭と棒を使われていやいや従う」

したがってプラトンの考える御者の仕事は、「いうまでもなく困難で不愉快な仕事」であった。

プラトンのメタファーの有力な解釈の一つによると、白馬はもっとも高度に発達した認知能力を表し、黒馬は身体に直結した低級な感情を表しているという。プラトンの後のだれかの説によれば、白馬はせいぜいのところ小さなポニーで、元気で猛々しい相手の勢いにあらがうことなどできないのだそうだ。

フランスの哲学者で神学者であったブレーズ・パスカルもこの説を支持する一人で、彼によれば、「心にも、理性の知らない理屈がある」。同じくスコットランドのデイヴィッド・ヒュームは、「理性はつねに感情の奴隷でしかない」と言った。

一方でアントニオ・ダマシオは、(ゲージとエリオットの興味深いケースを通して)、合理性自体がソマティック・マーカーによって形成され調整されることを明らかにした。心臓には理性が慎重な選択をしたいときに頼るべき道理がある、ということなのだ。

白馬は小さなポニーであるだけではない。黒馬の助けがなければ自分の仕事をすることもできない。しかし私たちは、日々の経済にかかわる多くの状況で、感情は決定のプロセスをゆがませることもあるから、ポニーにもいくらかは自治権を与えるほうがいいことを知っている。

理性と感情のたえまない綱引きゲームのなかでの、合理性に関する繊細な神経生物学的作用は、まだ大方のところ謎につつまれている。しかしメタファーだけで満足したくなかったら、最近の発見に目を向ける必要がある。わからない部分は多いけれど、いくつかのことは判明している。それを頼りにすれば、経済上の行動にまったく新たな光をあてることができる。

こうして生まれたのが「**神経経済学**」で、これは「頭脳の経済学」（数学的および経済学的モデルにおけるニューロンの機能の解明）であるだけでなく、神経生物学から見た私たちの行動の理論から出発して、経済における選択の理論をつくりあげようという試みでもある。

私たちの自律神経系は、扁桃体がある辺縁系のなかの制御中枢と、脳幹・脊髄の中枢から身体の内臓系や血管系などへ走る二つの神経（交感神経と副交感神経）で成りたっている。心臓、肺、腸、生殖器官や、広い範囲に拡がる皮膚が、自律神経系に答えているわけである。進化の観点から見れば、脳のこうした部分は、より下等な生物の脳のための経済学を制御する部位と同じと言えるようだ。

自律神経系は、ある特定の感情が身体の生理学的パラメーターの修正にどんな風に介入するかを理解するための、カギになるようだ。しかしそれを理解するには、「無意識の」プロセスと「管理する」プロセスとのあいだ、および情緒と認知（平たく言えば感情と理性）のあいだの区別が重要になる。

私たちの脳の大部分は無意識のプロセスをサポートするようにできている。無意識のプロセスは（深く考えることをしない）怠慢方式とでも呼べそうなものだから、作業はその分すばやいし効率もよい。そのうえ、高度に細分化されてはいるが柔軟性に乏しいために、意思によって管理することはむずかしい。このプロセスは経済的ではあるが、それは、努力や苦労というコストがほとんどかからないという意味においてである。

これとは反対に、管理するプロセスのほうは、意思によって活性化される。連続して作業をし、作業は遅いが柔軟性がある。自己分析によってアプローチできるし、明確に把握することもできる。一歩一歩論理的なプロセスを踏み、努力が必要で、作業は盛んに記憶される。

私たちの日々の活動はこの二つのプロセスの相互作用が実ったもので、二つのプロセスは、限界はあるにしても、脳内での活動箇所を特定することによって、区別することができる。私たちの脳を構成するニューロンネット全体における、ある決定をするときの認知の繊細なプロセスを図に表すのは、容易な仕事ではない。しかし脳イメージング技法は、さまざまなタイプのプロセスが特定のニューロンの領域を巻きこんでいく様子を、ありありと示してくれる。い

神経経済学

neuroeconomics 発展著しい脳神経学と経済学が融合した、新しい経済学が「ニューロ・エコノミクス」である。ダニエル・カーネマンが「行動経済学」でノーベル経済学賞を受賞した2002年より、次第にマスコミでも注目を集めるようになった。PET や fMRI などの脳の画像技術を駆使し、人がある行動や選択をするときに、脳のどの部位がはたらいているのかを調べることで、合理的判断がはたらいているのか、それとも感情が作用しているのか、見ることができる。あるいは、脳のなかのホルモンが人間の行動にどのような影響を与えているかを調べていく。具体的には、消費行動や投票行動、ＣＭを見ているときの脳のはたらきが調べられている。「行動経済学」で扱ってきたさまざまな行動が当面の研究対象となるが、どこへ行こうとするかについてはまだ見えていないところが多い。

うまでもなくそれは、非常に手の込んだ作業ではあるけれど。

人間の脳の機能について語るということは、何百億というニューロンの複雑な顕微鏡的回路について推論するということである。ニューロンどうしは百億のシナプスを介してその仲間のニューロン回路を形成し、その長さを合計すると、何十万キロメートルという距離になる。人間の脳の働きは、おそらくニューロンネットの総合的な相互作用をベースにしているが、その全体的な構造はまだつかめていない。森はまだ見えていないけれど、木々（あるいは枝？）のいくつかの集団は見えてきている。「脳の地図」あるいは「脳の地理」を語るときには、そのことを念頭においておかなければならない。地図を描いて、そのなかのある部位にある役目を無邪気に与えようとしても、したがって、脳のある働き、あるいはある認知作業を、あるひとつのニューロン集団の活動に帰することには無理があると、考えなければならないわけなのだ。

しかし、無意識のプロセスはおもに下部皮質と後部皮質の領域を巻きこむということに関しては、コンセンサスが得られている。ことに情緒は、辺縁系に結びついた構造（プラトンの黒馬？）を巻きこむ。辺縁系には、感情による記憶や恐怖反応にかかわる部位（扁桃体）、報酬を管理する部位（線条体）、行動の感情と動機にかかわり記憶のプロセスにもかかわるほかの神経中核（島、海馬、中隔核、視床、前部帯状回など）もある。

問題を解決する、戦略を立てる、戦略のその後を追跡する、といった作業にかかわる「管理

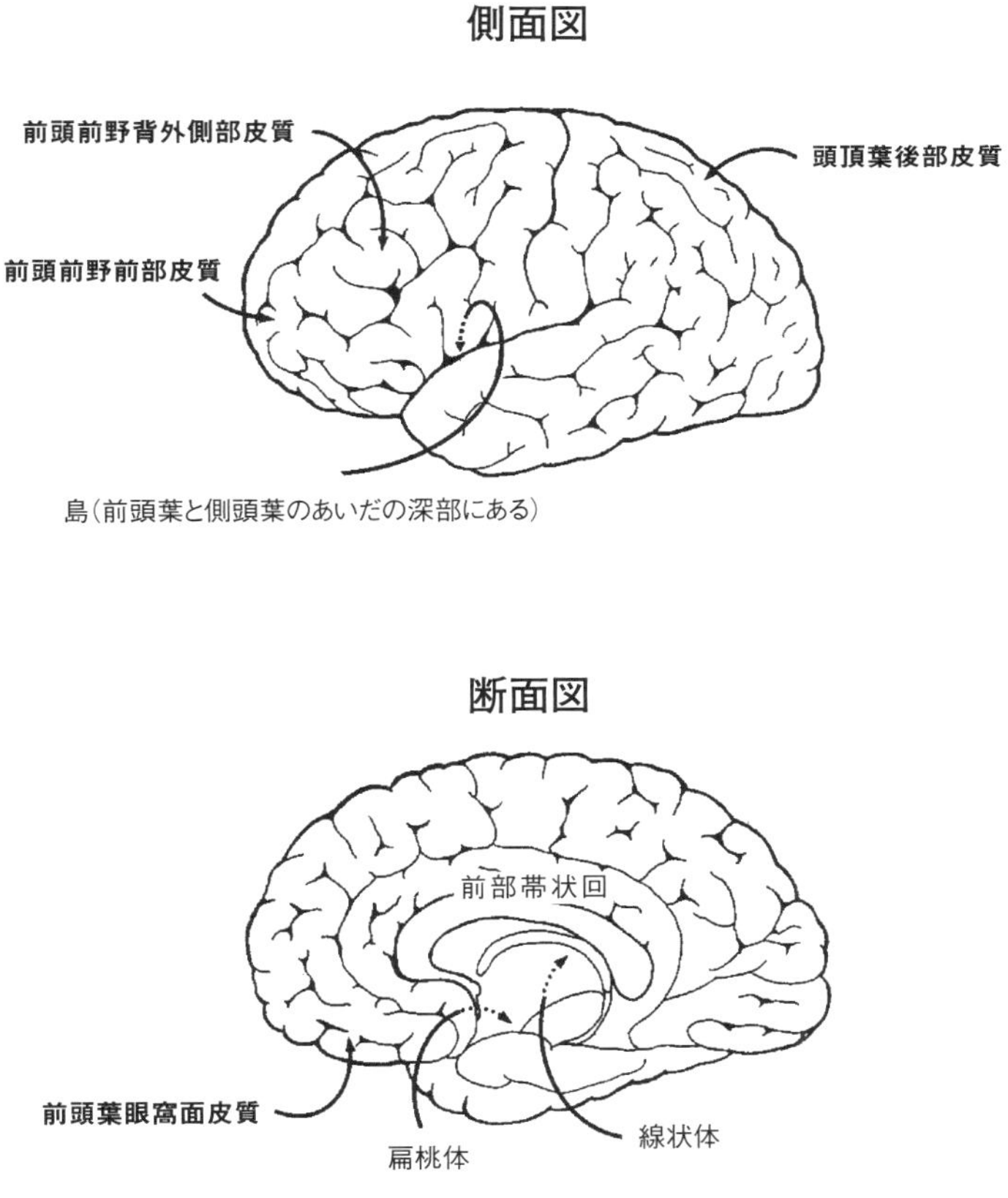

図12●「経済」活動をする脳の部位。太字の部分はレベルの高い認知プロセスにかかわる部位。ふつうの活字の部分は感情状態にかかわる部位。決定の際にはこの両方の部位が活動する。

するプロセス」は、ことに前頭前野皮質の前部および背外側部の活性化につながり、一部は頭頂葉後部皮質の活性化にもつながっている。前頭前野は「オーケストラの指揮者」の役目を果たし、脳のほとんどすべての部分から来る情報を受けとってはまとめる。これはもともと洗練された新皮質のなかでももっとも優れた部分（プラトンの白馬？）で、系統発生的にはもっとも新しく、進化の過程でもっとも体積が増えた部分である（図12を参照）。

もし私たちの脳が前頭前野皮質だけからできていて、頭のなかのプロセスが熟慮タイプだけだったら、いわゆる新古典主義的な経済モデルが、私たちの活動をみごとに表現していたかもしれない。しかしもしそうだったら、私たちはふつうの人間であるというより、『スター・トレック』のスポック博士のように、非常に合理的で冷血な生き物であったことだろう。

しかし実像はテレビ映画とは違う。私たちは火星人であるどころか、「人間的な、あまりに人間的な」生物なのだ。熟慮タイプの認知プロセスと並行して、本書の最初のほうで述べた、「ヒューリスティクス」と頭のなかの近道から成る、「無意識の認知」がある。だから無意識のプロセスがあり、そこには、怒り、恐れ、嫉妬、羨望のような感情だけでなく、悲しみ、喜び、空腹、喉の渇き、性欲があり、冒険、麻薬、仕事などへの、制御しがたい強烈な欲求もある。

したがって、私たちの日ごろの決定は、無意識のプロセスと熟慮的プロセス、情緒と認知のあいだの、たえまない駆け引きの結果なのだ。場合によっては、スポック博士の経済学とは反対に、駆け引きの余地さえないこともある。感情が神経のなかの優先箇所をすばやく通りすぎてしまい、新皮質を通らないことさえあるからだ。

ラットの扁桃体と新皮質との関係を研究していたジョセフ・ルドゥーが（著書『エモーショナル・ブレイン』（邦訳 東京大学出版会）のなかで）それを明かしている。ラットはほかの多くの動物と同じく、感覚が捉えたものを意識的に操作する余裕を新皮質に与えないうちに、情動的反応を示すことが観察された。つまり、危険を察知して恐怖を感じなければならないことを知るより前に、すでに反応していたのである。対応するべき特殊な刺激を前にしたときのこのすばやい反応は、ニューロンの回路のなかに組み入れられている。ルドゥーは実際、入りたての情報を崩して読み解く部位である、情動を管理する視床が、ラットでは扁桃体とじかに結びついていることを発見した。扁桃体はその情報に、恐怖という一種の感情のラベルを貼りつける。そのためには、情報がより複雑で冷静な判断をさせる新皮質を通る必要は、かならずしもないのである。

しかし多くの場合私たち人間の行動は、情緒と認知のメカニズムの相互作用によって、またそれに対応する脳の部位のシナプスの駆け引きによって方向づけられる。ある場合には感情が決定のプロセスで力を発揮する。ゲージとエリオットの例がそれをよく示している。適切な決定をするには、どうしたらいいかを知るだけでは足りなくて、身体がそれを感じとる必要があるのだ。しかしまた別の場合、たとえばお金を使うか老後のために蓄えるか、ポテトチップスを一皿味わうか何年かあとの動脈の状態を考えるか、といった場合には、情緒と認知は逆の方向に向かおうとする。われわれのある種の神経回路プログラムによれば、思考と感情が対立するとき、優位に立つのはしばしば感情のほうなのである。

神経経済学から見た日ごろの常識

神経経済学はもっといろいろおもしろいことを教えてくれるが、そのうちのいくつかは、これまでの常識をおびやかすようなものである。

たとえば、お金の価値はそれで買えるものによって決まる、と通常考えられている。つまり、お金で手に入れたものを持つ喜びの程度によるというわけだ。しかし神経生理学から見たらそうではない。それどころかお金は、それ自体が喜びになるのだ。実際、お金が線条体の下部皮質を活発にする「喜びのドーパミン系回路」は、食べ物やドラッグ（それもとくにコカイン）による興奮の場合と変わらず、その場でじかに満足感を与える種類のものである（すでに大金持ちである人でも、麻薬中毒のような中毒症状、いわゆるワーカホリックにはまってしまう理由がここにある）。

お金がそれ自体喜びであるなら、お札を手放すことは苦痛にちがいない。さもなかったらどうしてクレジットカードというプラスティックのお金を使ったり、ＡＤＳＬをカード払いにしたり、全額込みのパックツアーを選んだり、その他もろもろのじか払いの苦痛をなくすシステムを使うだろうか。財布を開けてお札を一枚一枚数え、そのあと彼らと別れるときのつらさは、華やかなプラスティックカードを差しだすときの苦痛とは、くらべものにもならないものだ。

ニューロンの活動を観察すればわかるが、線条体はお金に対してストレートに反応するだけでなく、儲かりそうだと思っただけでも反応する。おまけにその反応は金額に比例しているのだ！　金額が多くなると、その部位のニューロンの興奮もそれだけはげしくなるのである。しかし損が出そうだという予測には反応しない。この場合に興奮するのはまったく別の部位で、恐怖や危険のサインに反応する扁桃体なのだ。本書の読者にはもうおわかりのように、私たちが利益や損失に付与する価値はつねに一定ではない。同じことは脳のなかにも観察できるということらしい。

さらに言えば、お金から得られるストレートな喜びは、その獲得の仕方にもかかっている。磁気共鳴画像によれば、金額が同じなら、宝くじで当たったり人からもらったりした場合より、自分で稼いだときのほうが、報酬に関連する脳の部位が活発になる。だれもが知るように、苦労して手に入れたものは大きな満足感を与えてくれる。脳もそれを知っていて、お金の価値はそれがどこから入ったものかによると考える。本書の冒頭に出てきた、頭がする計算を思いだしてほしい。計算は頭脳の経済学に従っておこなわれる。

リスクにかかわる感情の神経生物学的観察には、もうひとつおもしろいものがある。感情はリスクに向かったとき、いつでも決まった動きをする。たとえば怒りや憤慨は危険に立ち向かう気持を奮いたたせ、恐怖心を引っこめてしまう。悲しみや憂うつは反対に、われわれをより思慮深くする。危険をつかむ力が強められ、リスクへの嫌悪感が増して、選択が慎重になる。

恐怖もリスクから私たちを守っている。恐怖は扁桃体に結びついた感情である。この部位は外から来る危険のサインをたえずふるいにかけ、無意識のプロセスを活性化させてそれに答える。しかし新皮質からの指示もあって、その指示が無意識の反応を強めたり修正したりする。扁桃体は感情の記憶の一種の保管所と言ってもいい。もしこの部位が脳のほかの部位から切り離されてしまうと、出来事の感情的意味がつかめなくなる。扁桃体がなければ、私たちの情動は働かない。動物からこれを除去してしまうと、怒りも恐怖も感じなくなる。

扁桃体は情動と認知を区分けするという特権的ポストを占めているから、多くの実験で文句なしに主役を演じる。すでに見てきたジョセフ・ルドゥーのラットの実験は、なかでもすぐれたものの一つである。ラットには、音を使って恐怖への「条件づけ」をする。音の少し後に痛い電気ショックを与える、という操作をくり返すのだ。しばらくすると音と電気ショックが結びつき、ラットは音が聞こえただけでたちまち飛びあがって恐怖を示す。

しかしその後の段階で、ラットに同じ音を何回も聞かせながら電気ショックは与えないことをくり返すと、やがて条件づけは消滅してしまう。この二番目のすばやい学習には二通りの解釈がある。一つは扁桃体のなかで音と苦痛との関連記憶が消失すること。もう一つは、新皮質が新たな状況に適した反応を上書きすることによって、条件づけによる反応を修正することである。

この二つの解釈のうち、どちらが正しいかを知るには、扁桃体と新皮質の、つまり無意識のプロセスと調節可能のプロセスとのあいだの関係を考えてみるといい。答えを出すために――恐怖への条件づけの後、それから音と電気ショックの関係を消した、条件づけ解除の後――ラットの脳に直接にメスを入れ、扁桃体と新皮質のあいだのニューロンの結合を切ってしまう。すると、結合を切られたラットは、音を聞いたとき、ふたたび飛びあがって恐怖の反応を見せる。したがって、音と恐怖の関係は扁桃体の「記憶」からまったく消えてはいないで、新皮質の介入によって抑圧されているだけらしい。

人間の場合には、扁桃体と新皮質の結合は、それに対応するニューロンの回路を経由すると考えられる。人間の場合も、単純で直接的な感情は、頭がそれを意識する前に身体がまず感じとるのだ。

扁桃体はそのほかにも、危険な状況や不確実な状況のなかでの選択に大きな役割を果たす。賭けの金額がはっきり示されているゲームでは、活性化するのは報酬に反応する後部線条体であることが、実験によってわかっている。しかし同様のゲームで、儲かる可能性がわからなかったりあいまいだったりするときに活性化するのは、扁桃体なのだ。扁桃体は、私たちにはコントロール不可能と感じる出来事の理解にも手を貸す。たとえば狂牛病、鳥インフルエンザ、飛行機事故、テロ攻撃などの場合に、扁桃体は、統計の冷たいデータが示す以上の危険を察知させるのだ。

コマーシャルのメッセージは、脳の「最適部位」を活性化するように工夫されている。この場合の最適部位とは、満足感と共感の領域、つまり、線条体、前頭葉眼窩部皮質、それにミラー・ニューロンなのである。

ここでちょっとラットに戻ってみよう。ラットの条件づけは、音と恐怖の場合にかぎらない。たとえば食べ物などの喜びの刺激についても同じことができる。人間も条件づけができるし、コマーシャルなどの目的はそこにある。広告を有効にするには、一体化と報酬を管理する部位を刺激して、それらを広告したい商品と結びつけるのだ。

もしコマーシャルを見ている人の脳を磁気共鳴画像で眺めることができたら、脳のその部分が実際に活性化しているかどうか、広告がその目的を遂げているかどうかを突きとめることができる。アメリカのスーパーボールの選手権試合終盤で、カリフォルニア大学の神経精神医学者マルコ・ヤコボーニが、これに類したことをためした。この試合は無数のテレビ観戦者を魅了するが、休憩時間には、試合に劣らず熱烈なコマーシャルバトルの戦場になる。

数人の被験者が機能的磁気共鳴画像（ｆＭＲＩ）の装置のもとで、はじめて電波に乗った驚くほど高額なコマーシャルを見ているあいだ、科学者たちは彼らの頭のなかで起こっていることをはじめて観察した。そこで学者たちは、脳が「言う」こととその持ち主が言うことは同じでないことに気づいた。ことに印象的だったのは、あるコマーシャルは評判が悪かったのに効果があり、別のコマーシャルは評判がよかったのに、効果はまったくなかったことだ。示される判断には社会からのプレッシャーが反映し、だれでも「建前は正しい」姿勢をとりたくなる。だから多くの女性は言うべきことを言い、たとえば、携帯電話の宣伝に購買意欲を無理やりそそるようなモデルを使っていると言って、そのコマーシャルをはねつけたりする。

しかし彼女たちの頭が示す反応はまったく異なり、女性の想像力を刺激するそのコマーシャルは（無意識に、意思に反して）、共感と一体化にかかわる部位をみごとに活性化していた。一方で、心地よいストーリーを語り、モラルのセンスを快くくすぐり、たちまち夢中にさせるようなコマーシャルが、自然にその商品を買いたくさせる喜びと共感の領域を、まったく活性化させない場合もあるのである。

ニューロンが生むプラシーボ効果とフレーミング効果

干し草一キロと鉛一キロではどちらが重いか。カシミア八〇％と混紡二〇％のセーターではどちらがいいか。九五％無脂肪ヨーグルトと脂肪分五％のヨーグルトではどっちを選ぶか。さらに、五〇ドルもらったら、二〇ドルを取っておくのと三〇ドル返すのとどっちがいいか。

これらはどれも、内容としては同じである。しかしマーケティングやコマーシャルのプロが知るように、選択肢の表現の仕方で選び方が少なからず変化する。このフレーミング効果については、第二部ですでに触れている。

しかしメディアに鍛えられた人は、キャンペーンコマーシャルの甘い言葉にはもう乗らないで、合理的に行動するようになっているだろうか。これについては、実験からはっきりした結果が出ているわけではない。しかし最近の調査によれば、この訓練は頭脳に多大な効果を生んでいて、感情および認知の部位が受けとった情報を、評価し統合できるまでになっているという。

それを示唆するものの一つが、ロンドンのユニヴァーシティーカレッジのベネデット・デマルティーノとレイモンド・ドランが、フレーミング効果を研究する目的でおこなった優れた調査（本書作成中の二〇〇六年八月に「サイエンス」誌上に載った）である。この実験でも、ベースになったのは、効果とそれにかかわる身体機能をつかむために考案されたゲームだった。

実験には二〇人の学生が参加し、彼らの脳の活動が機能的磁気共鳴画像（ｆＭＲＩ）によって観察された。参加者のおのおのは最初に五〇ドルを受け取り、続いて一連の選択をするように促される。それぞれについて選択肢は二つある。一つは「確定させる」こと（お金の一部を

図13●フレーミング効果のゲーム

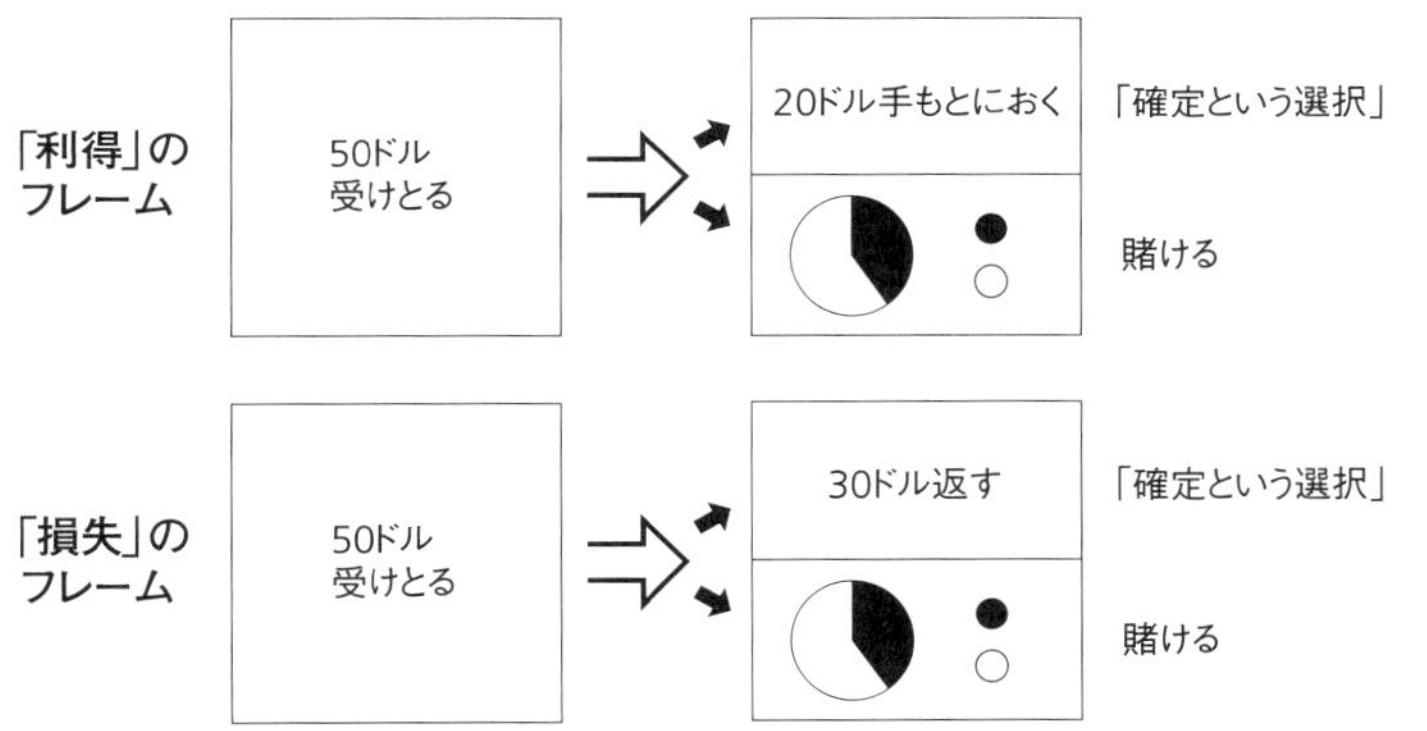
賭けに勝てば●は50ドル全額を手もとにおく
賭けに負ければ○は50ドル全額を失う

持っているか失うか）だ。もう一つは賭け（すべてを持っているかすべてを失うかの確率をXで示す）である。注意してほしいのは、「確定という選択肢」のそれぞれに二つの表現法があるということだ。一方は手もとにおく額（たとえば五〇ドルのうち二〇ドルを手もとにおく）でフレーミングされ、もう一方は失う額（たとえば五〇ドルのうち三〇ドルを失う）でフレーミングされる。賭けの場合は、選択肢の表現法は一定で、すべてを持っているか失うかの確率が図表で示される（この例では、五〇ドル全額を持っている確率四〇％と、全額を失う確率六〇％。図13参照）。

　この実験で判明したのは、個人の行動と脳内のある領域の活性化とのあいだには、興味深い関係があるということだった。とりわけ注目されたのは、あらゆる被験者のフレーミング効果を「うかがわせる」ように、扁桃体がはげしく興奮したことである。なかでも興奮がはげしかったのは、フレーミング効果の影響をまともに受けた人たちだった。つまり、選択肢が手もとにおく額（たとえば五〇ドルのうち二〇ドルを手もとにおく）で示されたときには、確定という選択肢を選んだ人たち、それから、選択肢が失う額（五〇ドルのうち三〇ドルを返す）で示されたときには、賭けの選択肢を選んだ人たちである。

一方で、前頭前野皮質（内側部および眼窩部も）の活性化と合理的選択のあいだには深い相関関係があることがわかった。この部位が活性化したということは、その人がフレーミング効果を無効にして、筋の通った選択をしたことをうかがわせる。

また注目すべきは、何人かの参加者が後に、「非合理な選択をしなければならないことはよくわかったが、どうしようもなかった」、と打ち明けていることである。合理的行動をとった人でも扁桃体の活性化は明らかにあったが、その人たちは、感情のメッセージを管理したり、うまい具合に上書きしたりすることを心得ていた。

ここでも実験の結果は、これまで考えられていたのとは異なる、合理性の理解の仕方を教えてくれる。つまり、合理性と感情とは対立するものではなくて、協力しあうものだということだ。したがって、合理的な人とは感情のない人ではなくて、感情の操縦方法をよく知っている人なのだ。

しかし高度の認知機能と辺縁系のあいだのきわだった相互作用についてなら、まったく別の研究が光をあてている。プラシーボ効果のベースになるニューロンの研究がそれだ。プラシーボ効果とは、ある薬にすばらしい効果があると言われたときに起こる現象のことで、この現象は、薬のかわりにただの水や角砂糖（偽薬＝プラシーボ）が与えられたときにも見られるものである。

（これも「サイエンス」に載った）認知情緒管理研究所（コロンビア大学）のトー・ウェージャーの実験では、参加者の腕にクリームが塗られ、それから苦痛をともなう電気ショックが与えられた。何人かには、クリームは痛みを減らす鎮痛剤の新薬だと伝えてあった。ほかの何人かには、クリームは皮膚の伝導性を高めるから、電気ショックの苦痛が増すと伝えてあった。実際にはクリームは同じもので、なんの作用もないプラシーボだった。例によって参加者の脳には、機能的磁気共鳴画像（ｆＭＲＩ）によるスキャニングがおこなわれた。

参加者の約三分の一にプラシーボ効果が認められ、苦痛に反応する脳の部位（とりわけ島、視床、前部帯状回）の活動が目に見えて衰えた。これは十分に予想された結果で、三分の一というのはプラシーボの研究で見られる典型的な割合であり、かなり固定した現象なのだ。

しかしこれよりはるかに注目すべきは、電気ショックが与えられる一瞬前にプラシーボである鎮痛剤クリームが塗られた場合、その人の脳に何が起こっていたかである。差し迫ったショックへの警報が頭のなかで鳴ってからの短いあいだに、前頭前野皮質のさまざまな部位が活性化し、それが、苦痛に反応しようとする部位（島、視床、前部帯状回）の活動を弱めるという、（プラスの意味での）相関的作用をしたのである。言いかえれば、前頭前野皮質の興奮がはげしくて、苦痛を受けとる部位の活動、つまり感受性を強める働きが衰えたわけである。

したがって、少なくとも何人かのケースでは、前頭前野皮質は感情のサインを管理できただけでなく、(デマルティーノとドランの実験で見たように) 上書きすることもできたようだ。しかしだからといって、私たちの身体のもっとも古い機能である苦痛への本能的反応までコントロールできたわけではない。

要するに、合理的な人というのは、自分の感情のコントロールと認知プロセスについて、頭のなかでより正確で精巧な把握ができる人であるというわけだ。その人の前頭前野皮質は、情報を統合して管理し、状況に応じて適用することもできる。決定のベースになるニューロンの研究はそのことを裏づけていて、カーネマンが言うように、「これほど心地よい結果もない」。

教訓

❶ 神経経済学のホットな話題を提供している。機能的磁気共鳴画像を使って、CMを見ているところの脳を見たところ、本人が口でいう「評価」と脳が示す「評価」がまったく異なっていた。「口でいう評価の当てにならないこと」が裏づけられた。

❷ プラシーボ効果を見る実験では、理性の部位が活発化することで苦痛を抑えることが裏付けられた。「戦場で怪我をした兵士が、痛みをこらえることもなく逃げて帰ってこられる」わけである。

❸ こうしたことの積み重ねが、次のパラダイム変換につながっていく。

おしまいに——怠け者の経済学

ここまで来て残るのは、認知におけるニューロンの役目とその実験への考察をさらに進めて、とりわけ気にかかる最後の問題を解くことだ。どうして私たちは日常の経済上の選択で、おかしなことばかりしているのだろうか。私たちのエラーの性格について、脳の働きは何を教えてくれるだろうか。答えはすぐそこ、手の届くところにある。

感情のシステムと理性のシステム

情報の操作と決定のプロセスにかかわるのは、すでに見てきたように、直感と理性である。ここではさらに突っこんで、直感と理性に呼応する、二つのきわだったシステムについて考えてみよう。カーネマンのまねをして、便宜上そのシステムを、システム1とシステム2と呼ぶことにする。これらは大方のところ、無意識のプロセス（知覚と情緒にかかわる）と調整されるプロセス（合理的な認知にかかわる）の区別に対応する。しかしほかにもまだおもしろい面があるので、それをこれから見ていこう。（システム1とシステム2の神経学的相関関係と、その脳内の正確な分布については、まだ控えめに受けとっておくほうがいい）。

さてあなたはいま数学の授業に出席するところだとしよう。教師をまずその動作から、次にはその顔つきから、システム1がなんの苦もなくただちに認識する。

しかし教師が黒板に次の問題を書いて、あなたに解くようにと言ったら、システム2を始動させて集中力を高め、習った規則を頭に浮かべながら知力を振りしぼらなければならない。答えはなんの努力もなく飛びだすどころか、気力と注意力を駆使しなければ出てこない。

$$\mathrm{LIM}_{x \to 8} \frac{1}{x-8} = 8$$

しかし教師はこのタイプの式とその答えをいくつか見せてから、学生がほんとうにわかったかどうかためしたくなるかもしれない。すると今度は黒板に次のような式を書く。

$$\mathrm{LIM}_{x \to 5} \frac{1}{x-5} = 5$$

この例は実際の問題というより笑い話に見えるかもしれない（思いだしたと思うけど、∞は無限大のことで、8を横にしたのではないのだよ！）。しかしこれは、これから二つのシステムの話をするには適していると思う。

システム1（直感）の操作はスピーディーで、無意識で、大まかで、連想を駆使し、調整も修正も利かないものだ。

システム2（推論）の作業は反対に、ゆっくりと順序を踏み、意思によってコントロールされ、習得可能な規則によって潜在的に管理されるものである（たとえば数学、確率計算、公式的論理、集合理論、コストとリターンの分析、功利性の最大化など）。

この二つのシステムのあいだに厳密な区別はない。たとえばいろんな分野のプロの形成もその一種だ。最初のうちは分析力や集中力が必要だが、作業がしだいに無意識にできるようになって、システム2からシステム1へ移るわけである。

頭の反応性と柔軟性を知るためのテストを使って、あなたも二つのシステムの力を試してみてはどうだろう。これは一九三〇年代からすでに知られていたテストで、発明者ジョン・リドリー・ストループの名をとって、「ストループ・タスク」と呼ばれている。やってみればわかるけど、このテストでは大方のところエラーは犯さない。しかし作業を進めながら頭を抱えているうちに、どうしてそんなにまごついてしまうのかがわかってくるかもしれない。

テストでは、色の名称がカラーインクで書かれている。参加者は、意味が色とは一致しない言葉が書かれていてもそれを無視して、インクの色を言うようにと指示される。たとえば「赤《あか》」と書かれていても、インクの色が青なら、青《あお》と言わなければならない。図14（次々頁）にこれに関連するページがあるから、あなたもためしてみるといい。

もしあなたが色の名称を言う作業で「つまずく」ような気がしたら、言葉の意味の影響を強く受けているということだ。そこの言葉を無意識に読んで「赤」という答えが浮かんでも、それは正答である「青」と相容れない。間違えることはあまりないが、問題がこれとは反対になったり（インクの色は無視して言葉を読む）、言葉のかわりに意味のない記号があったり、理解できない文字が書かれていたりするときには、費やす時間は短くなり、努力もそれほど要らなくなる。このテストでは、色の名称を言うよりは気疲れするが、言葉（もちろん自国語）を読むときに無意識に活性化するプロセスへの介入効果はより強まる。

たとえばあなたがいま催眠術にかかっている（そして磁気共鳴画像の装置をつけられている）としよう。「私の声が聞こえるたびに、意味のない記号がいくつかスクリーンに表れる。あなたはその記号を自分が知らない外国語だと思い、意味を考えようとはしない」という声が聞こえてくる。この場合、暗示を受けやすく催眠状態にある人には、ふつうの条件で実験をしたときに見られる効果が出ないことが、最近の研究でわかっている。被験者がそこに見ているのは自国の言葉なのに、知らない言葉だと思うから、色の名称がすぐに言える。

引っかからない人には前記の効果が現れて、色の名前
だ。

実験は、両方のグループの被験者の脳を、医学のイメージング手法に
こなわれた。脳のなかで活性化した部位（とりわけ前部帯状回皮質。ここは、認知
抑えてエラーをカットするという重要な役目を果たす）をくらべてみると、催眠状態の人で
は、読む役目をする脳の部位が活動していなかった。張りあう二つのシステムの一方が休んでしまうと、テストへの答えはよりスムーズにスピーディーに出るということなのだ。

エラーを解剖してみれば

「ストループ・タスク」で見たように、無意識で直感的なプロセスを管理するシステム1と、高度な認知作業を担うシステム2は、しばしばおたがいに介入しあう。しかし一方がなければ他方も完全には働かない。ふだんの暮らし、人間関係、日々の決定、それに経済に関する選択をうまくこなして生きのびるためには、感性や感情がもたらす情報も、抽象的で論理的な作業も、どちらも同じくらい大事なのだ。

私たちの選択や行動の質は、この二つのシステムによる駆け引きできまる。脳が両者のあい

みどり　あお　くろ　きいろ　みどり　あか　あお　くろ　みどり
きいろ　あか　あお　くろ　あか　あお　きいろ　みどり　あか
くろ　みどり　きいろ　あか　あお　あか　きいろ　あか　みどり
あお　くろ　みどり　あお　きいろ　あか　みどり　くろ　あか
きいろ　みどり　あお　くろ　きいろ　あお　きいろ　あお　くろ
みどり　あか　あお　くろ　あか　きいろ　あか　みどり　あか
きいろ　あお　みどり　あか　くろ　みどり　きいろ　みどり
くろ　みどり　あか　くろ　きいろ　あお　あか　みどり　あお
きいろ　あお　あか　きいろ　あか　あお　くろ　きいろ　あお
みどり　あか　くろ　みどり　あお　きいろ　あか　あお
くろ　あか　きいろ　みどり　あか　くろ　みどり　きいろ　あか
あお　くろ　あか　みどり　あか　くろ　あお　みどり　あお　くろ
きいろ　あお　あか　きいろ　くろ　みどり　きいろ　あか　あお
くろ　きいろ　みどり　あお　あか　くろ　みどり　きいろ　あか
あお　くろ　あか　きいろ　あお　みどり　あお　くろ　あお
きいろ　あお　あお　くろ　きいろ　みどり　あお　くろ
きいろ　あお　あか　あお　くろ　きいろ　あお　みどり　あか
くろ　みどり　きいろ　あか　あお　くろ　あか　きいろ
みどり　あか　くろ　みどり　きいろ　みどり　あお　くろ　あか
きいろ　あお　みどり　あお　くろ　あか　きいろ　くろ　あか
みどり　あか　きいろ　みどり　あお　きいろ　あお　みどり
あか　あお　くろ　あか　きいろ　あか　みどり　くろ　あお
あか　きいろ　あか　くろ　みどり　きいろ　みどり　あか
くろ　きいろ　みどり　あか　くろ　みどり　あお　きいろ
あか　あお　くろ　あか　きいろ　あお　くろ　みどり　あお

図14●ストループ・タスク（本文303頁参照）

だの葛藤をどのように管理するか、そしてとりわけ、システム1の衝動的で無意識ですばやい反応を抑制して、のさばるべきでないところでのさばらないように、いかにうまく調節できるかにかかっている。

これは言ってみれば、「考えることについて考えること」で、感情の分野にも、推論による認知のプロセスの力と限界にもあてはまる。考えることは、無意識の反応の結果を除去したり書き換えたりするのに役立つほかに、そういう結果を出さないための力にもなる。そういう意味で、自省によって自分の限界への自覚を強めることは、合理性をそれだけ強めることになるのである。

私たちが周囲の状況を判断するとき、あるいは状況を分析して選択をするとき、要するに論理的に考えるときに、システム1とシステム2はどんな風にかかわるのだろうか。これを理解するために、次の三つの問題を考えてみよう。これは、認知のプロセスにおける私たちの「思考力」を測るために、認知科学者のミット・シェーン・フレデリックが実際のテスト（認知思考テスト）として考案したものに、よく似た問題である。

第1問

サッカー用の靴一足とボール一個を合わせた値段は一一〇ドルである。靴はボールより一〇〇ドル高い。ボールの値段はいくらか。

第2問
五分間に五個のボールを生産するには五台の機械が必要である。機械一〇〇台でボール一〇〇個を生産するには、どれだけの時間が必要か。

第3問
サッカーのグラウンドが一部草地になっている。草地は毎月二倍の範囲に拡がる。四八ヶ月後にはグラウンド全体が草地になる。グラウンドの半分が草地になるには何ヶ月かかるか。

好きなだけ考えていいけれど、時間をかけすぎないで答えてほしい。答えが出るまでは先に読み進めないほうがいい。もしあなたがこのテストをやってみたなら、やっただけのことはある。なぜならこの平凡な質問とその答えの裏には、秘密が隠れているからだ。

さてここで、間違えるとしたらどこでどうしてだろうか。

間違えるのは、問題を前にしたときシステム１が活性化するからで、一定の条件の下で、これがまったく無意識に間違った答えを出してしまうのだ。

答えの（合理的な）質を管理しなければならないシステム2がその役目を果たさないで、間違った答えをパスさせてしまうから、間違いが起こるわけなのだ。

第1問を考えてみよう。質問の仕方から、一〇ドルという答えがたちまち頭に浮かぶ。これはシステム1が出した直感による誤った答えで、システム1はまるで当然のように、一〇〇と一〇に分けてしまう。だからほとんどの人が最初はそう答える。「一〇ドル」というのは頭にすぐに浮かぶ答えで、衝動的と言ってもいいほど無意識に出てくる。しかしこれは正しくない。正しい答えはいうまでもなく「五ドル」である。

ボールが一〇ドルなら、靴はそれより一〇〇ドル高いのだから、一一〇ドルになる。でもそれでは靴とボールの値段の合計は一二〇ドルになってしまう。一方ボールが五ドルなら、靴のほうは一〇五ドルになる。両方の合計はまさに一一〇ドルになるというわけだ。

しかし正しい答えを出した人も、一瞬一〇〇ドルと一〇ドルに分けたくなっただろう。この場合、間違いに気づくと同時に正しい答えがわかる。しかし間違いに気づくには、それなりの努力をして、システム2というコントロールシステムを活性化しなければならない。ほとんどの人はそれをしないから、一〇ドルという答えに飛びついてしまう。システム2による思考の質の管理が失敗したわけで、システム1が勧める手近で直感的な解決法が瞬時に私たちを捕らえ、優位を占めたのだ。システム2がゆるんでいると、罠にはまってしまうことになる。

怠惰が生むこのエラーを、私たちは毎日いろんなところでやらかしている。ほんの一瞬も考えないで、コマーシャルやメディアや情報機関にうまく乗せられ、頭に浮かんだ最初のよさそうな判断に飛びついてしまう。

同じことは第二問についても言える。五台の機械が五分間に五個のボールを生産するなら、システム1が即座に反応して、一〇〇台の機械が一〇〇個のボールを生産する時間は一〇〇分だと出す。しかし衝動的な答えは正しい答えではない。システム2に時間を少しでも与えて知的資源を活用すれば、実際に必要なのはたったの五分であることがわかる。

最後の問題。草地の面積が毎月二倍になって、グラウンドを埋め尽くすのに四八ヶ月かかるなら、半分を埋めるには何ヶ月かかるだろうか。システム1が出す答えは「二四ヶ月」である。これをシステム2という秤にかけると、正しい答えは「四七ヶ月」になる。

これらの質問は単純だがいくらか特殊な部類に入る。しかし日常生活のなかでの答えの出し方もこれとあまり変わらない。ある程度むずかしい問題やかなり知恵を絞らなければならない問題に直面すると、私たちは問題を単純化しようとする。

たとえば政治家もそうだ。ちょっと変わった質問をされると、適切な返事をするかわりに、問題をすり替えてしまう。それは受けた質問とは違うが、それなら自分が知っている——あるいは知っているつもりでいる——範囲で答えることができるから、そっちのほうが都合がいいのだ。要するに、むずかしい問題を、答えがすぐに出る容易な問題と入れ替えるわけだが、あいにくその答えも、つねに正しいとはかぎらない。

ここでは近づきやすさがカギになり、あることが頭に浮かぶときの、浮かび方もカギになる。直感というのには、ほかの何よりすばやく、なんの努力もなしに頭に浮かぶということなのだ。

周知のように、ある答えへの近づきやすさは、背景によってかなり影響される。たとえば、図15を見てほしい。

ここにはあいまいなデザインがある。この図を縦に眺めれば、一連の数（12、13、14）がただちに読める。次に横に眺めれば、文字（A、B、C）がただちに読める。

図15

つまりそれぞれのコンテクストのなかで、いちばんありそうな解釈をしているわけだ。もしこの縦列と横列が別々に示されたら、二通りに解釈できるなどとは考えもしないだろう。

フレーミング効果を思いだしてほしい。同じことを言っていても、表現の仕方が違うと選択の仕方も異なってくる。

それと同じように、変化や差異、損失や利益を測るときには、絶対値によってよりも、参照点をもとにするほうがやりやすい。また確率を扱うと

図16

きには、「一〇人につき一人」のほうが「一〇％」よりわかりやすい。

ある特性がむずかしくてつかめないと、私たちはこうして、近づきやすいものと入れかえてしまおうとする。

図16が表現するのは、把握するときに特性を入れ替える例の一つである。「どちらの男性のほうが大きいか」という問題だ。ここでは、大きさは変わらないのに、後ろの人のほうが大きく見える。

図が錯覚を生むことはよくある。この図で観察者が受けとるべき「客観的特性」は二次元のものだ。しかし私たちは「ヒューリスティクスの特性」を持った三次元のモデルとして把握してしまう。そのほうがずっと把握しやすいからだ。そのうえ困ったことに、頭にはそれしか浮かばない。「特性の入れかえ」によって生じる認知上の錯覚には、目の錯覚と同じ特徴がある。これに陥る人は、通常、入れ替えをしていることに気がついていない。

本書で出会ったリンダの問題を、このカギで解いてみよう。

彼女についての情報を思いだしてほしい（たとえば、彼女は純真でとても頭がよく、哲学科を卒業していて、平和主義者である)。ここでわれわれは、二つの仮定のうちどちらが真実でありそうか考えてみる。リンダは銀行員か、あるいは、リンダはグローバル化に反対している銀行員か。

ひとつ(むずかしい)質問。確率の計算からいうと、どちらの仮定に傾くだろうか。こういうときはちょっと努力をしてシステム2を活性化しよう。さもないと「努力は最小限にする」を原則にするわれわれの頭は、この質問をもっとシンプルなものにしたがるからだ(実際はシンプルになるどころかなおさら複雑になってしまうのに)。頭は、近づきやすいが似ているのは見かけだけ、という問題に置き替えようとする。たとえば、リンダってだれに似ているかしら? とか、リンダは典型的な銀行員だろうか、それともグローバル化反対の銀行員のモデルみたいなものだろうか? とか。

こうすれば質問はたちまち親しみやすいものに変わり、私たちは無意識に(間違った)答えが出せる。

さて、単純な論理的ルールからすれば、はじめの仮定のほうが二番目の仮定より真実であるはずだ(グローバル化反対の銀行員は、銀行員全体のなかに必然的に含まれているのだから)。しかし多くの人は論理(初歩的なものさえ)をもとに考えたりはしないで、問題を解くために心理的により近づきやすく親しみやすい別の特性——代表的であるとか、プロトタイプに似ているとか——に助けを求めようとする。そんなわけで大方の答え(間違った)が、リンダは典型的な銀行員である、ではなくて、リンダはグローバル化反対の銀行員である、のほうへ傾いてしまうのである。

カーネマンの言葉を借りれば、論理を働かせて判断し正しい決定をする（この場合は確率についての）ためにきちんと捉えなければならない客観的特性が、頭には浮かびやすいが私たちを（無意識のうちに）エラーへと導いてしまうヒューリスティクスの特性（この場合は代表性）と置き替えられてしまうのだ。

私たちはヒューリスティクスの特性を努力しないで無意識に評価することはできても、客観的特性についてまで同じことができるとは言いがたい。たとえ正しい答えがわかっても、リンダがグローバル化反対の銀行員であるという印象を払拭してしまうことはできないのだ。アメリカの古生物学者で進化論生物学者であるスティーヴン・ジェイ・グールドがいみじくも言っている。

「私は正しい答えは知っているが、頭のなかでだれかが跳びはねながらどなっているのだ。『でもただの銀行員じゃない。よく読んでごらん』と」

だれかが跳びはねているということは、私たちは多くの場合、頭に入りやすい性格に引かれて、入りにくい性格は無視してしまう、ということなのだ。カーネマンも悲観的な言葉をふと漏らしている。「もっとも受けいれやすい特性が、よい決定のためにもっとも役立つ特性だと考えなければならない理由はない」

このことは「認知思考テスト」にも表れている。この実験ですべての質問に正しい答えを出したのは二〇％の人にすぎなかった。例外はマサチューセッツ工科大学の学生たちで、彼らは四八％が正解を出した。おもしろいことに、高得点を出した連中は学業成績も平均以上で、お金に関する選択においても、きわめて合理的だった。たとえば時間に関する質問では、少額をすぐに受けとるより、多く受けとるために待つほうを選んでいる。そのうえ彼らはフレーミング効果の影響も受けず、リスクが損失で示されようと利益で示されようと、選択はまったく変わらなかったのである。

この実験からわかるように、一般人の経済感覚の程度は、彼らボストンのエリートたちの経済感覚のせいぜい半分といったところだ。これはまた、システム２の選択を支えるよき理論でもある。しかし、脳の総合的な働きについての、神経科学による解釈が間違っていなければ、節約したりお金を使ったり投資をしたりするとき、私たちは効用最大化の原則より、努力の最小化というかなり現実的な原則に従って動いていることになる。ふつうの人はホモ・エコノミクスであるより、怠け者《ホモ・ピゲル》であるというわけだ。

自分の限界を知る

おしまいに、あなたがここまでしんぼう強くテストをやってきたなら、困ったことになるのは、私たちがものを知らないからではなくて、知らないのに知っているつもりでいるからだということが理解できたことだろう。

エラーを減らすためにエラーを認めるということは、この世の生き物が持たない認知能力を持っているつもりにならないで、自分の限界を正直に認めるということだ。それはまた、日々の感情がうまく解決したように見えるいろいろなケース（なかにはおもしろいものもある）を研究し、罠を見つける術を身につけ、責任ある経済的および社会的選択をきちんとこなすということなのだ。それができれば、私たちの感情的弱みにつけこみ合理性の限界を利用して、ひそかに利益を引きだそうとする輩の餌食にもならないで済むだろう。

私たちの脳は愚かでおまけに熱くなりやすい（そのうえいくらか怠け者でもある）。チャーリー・ブラウンは、赤毛の女の子に言葉をかける前に深い息をついて気持を落ちつける。あなただって一息つければ、システム1の働きを抑え、システム2を活性化させて、判断や選択をする一瞬前に頭が冷えるのを待つことができるだろう。たしかにたやすいことではないけれど、陥りやすい認知の罠を見分けることが可能になれば、道半ばに達したも同然なのだ。残るは次のテストに移ることだけ。あいにくそのテストは、この本のなかではなくて外にある。

訳者あとがき

本書は Matteo Motterlini, “*Economia emotiva : Che cosa si nasconde dietro i nostri conti quotidiani*”（直訳『感情の経済学――日々の計算の裏には何がひそんでいるか』）、Rizzoli, 2006 の全訳である。

じつを言って私はいままで、経済学についての本は、日本語で書かれたものさえ読んだことがなかった。だから本書をはじめて読んだとき、経済学とはこんなにおもしろいものかと、すっかり感心してしまった。一般に「行動経済学」と呼ばれる新たな経済学は、従来の経済学とひと味ちがって、じつに人間味のある分野であるらしい。ホモ・サピエンスであるはずの人間がこんなにずっこけた存在であることを、経済学の本に教えられるとは意外だった。この新しい経済学は、ほかならぬ「人間学」であると言ってもいいほどなのだ。

『他人をほめる人、けなす人』という本で日本でも名前が知られるようになった、イタリアの社会学者フランチェスコ・アルベローニは、「世界は感情で動いている」と言った。経済だけでなく、世界そのものが、感情で動いているというわけである。これは常識のようにも思えるが、深い真理を突いているにちがいない。

本書は後半で、人間というおもしろい存在の、頭のなかを解きあかしている。近年、脳に関する研究がめざましい発展を見せているが、その研究が経済学の分野にも浸透し、人間とは何かを解くための、数多くのヒントを与えているのは興味深いことである。

本書の翻訳にあたっては、横浜国立大学経済学部教授の山崎圭一先生に、大いに助けていただいた。先生は、経済学に不案内な私がつまづくたびに、ときには数式まで活用して、ていねいに解説してくださった。本書にたびたび出てくるサッカーについては、孫のサッカークラブの山下コーチが、スポーツ音痴の私を、快くガイドしてくださった。紀伊國屋書店出版部の水野寛さんには、多くのことでお世話になった。彼は豊富な知識を駆使して、原書になかったコラムや「教訓」を数多く入れ、読みやすくわかりやすい本にしてくださった。文中のイラストも原書とはいくらか異なっている。

以上の方々に、メールによるサポートを惜しまれなかった著者のモッテルリーニさんを含めて、ここで心からお礼を申しあげます。

二〇〇八年三月

泉　典子

著　者　紹　介

マッテオ・モッテルリーニ

1967年ミラノ生まれ。ミラノ大学で科学哲学、ロンドン大学で経済学を修める。カーネギー・メロン大学客員准教授などを経て、現在はミラノのサン・ラファエレ生命健康大学の准教授。科学史・科学哲学、認識論、論理学、ミクロ・マクロ経済学などを研究分野とする。著書に『方法論のプラスとマイナス』（1990）『医学的判断の合理的限界』（共著、2005）『経済の合理性批判』（2005）『認知と実験の経済学』（2005）などがあり、本書を2006年10月に刊行、たちまちベストセラーとなった。

訳　者　紹　介

泉 典子

いずみのりこ

東京外国語大学大学院修士課程修了。訳書にスザンナ・タマーロ『心のおもむくままに』（草思社）、ピーノ・アプリーレ『愚か者ほど出世する』（中央公論新社）、ピエトロ・エマヌエーレ『この哲学者を見よ』（中央公論新社）などがある。

経済は感情で動く
はじめての行動経済学

2008年4月20日　第1刷発行
2008年5月12日　第3刷発行

発行所
株式会社 紀伊國屋書店
東京都新宿区新宿3-17-7

出版部（編集）
電話 03（6910）0508
ホールセール部（営業）
電話 03（6910）0519
〒153-8504 東京都目黒区下目黒3-7-10

印刷・製本
中央精版印刷

ISBN 978-4-314-01047-4
Printed in Japan